Oscar bestsellers

Degli stessi autori

nella collezione Oscar

La nera
Scena del crimine
Serial Killer

CARLO LUCARELLI
MASSIMO PICOZZI

TRACCE CRIMINALI

Storie di omicidi imperfetti

OSCAR MONDADORI

I edizione Strade blu febbraio 2006
I edizione Oscar bestsellers giugno 2007

ISBN 978-88-04-56919-0

Questo volume è stato stampato
presso Mondadori Printing S.p.A.
Stabilimento NSM - Cles (TN)
Stampato in Italia. Printed in Italy

Anno 2009 - Ristampa   3 4 5 6 7

Indice

Tracce criminali

Il caso Thäder

Succede il 9 novembre del 2000.

Sul ciglio di un fossato, a fianco di una strada a Santo Stino di Livenza, quaranta chilometri da Venezia, un cercatore di funghi trova il corpo di una ragazza. È stata uccisa, ha segni di strangolamento sul collo, il naso e la bocca sono sigillati da un nastro isolante. È vestita, ma i pantaloni e gli slip sono abbassati sulle gambe, fino quasi alle ginocchia. Nessun documento permette di identificarla. Annodata attorno alla vita ha una felpa con sopra una scritta pubblicitaria. È il marchio di un noleggio di sci di San Candido, che ha fatto confezionare le felpe per due dipendenti, e allora le indagini partono da lì, la polizia li interroga. Uno ha l'indumento in casa, e può mostrarlo. L'altro no, non ce l'ha.

Dice di averlo regalato a una giovane ragazza austriaca di diciannove anni, di nome Carmen, Carmen Wieser.

Il ragazzo si chiama Florian Sulzenbacher, ha ventotto anni, è di San Candido e fa il commesso stagionale in quel negozio di attrezzature sportive. Conosce Carmen perché l'aveva incontrata qualche sera prima, il 5 novembre, in un pub di San Candido. Avevano chiacchierato, bevuto parecchio, e poi lui l'aveva invitata a casa sua, pensando a un'avventura facile con una ragazza allegra e disponibile.

Erano le due e dieci di notte. Poi, però, non era passata mezz'ora che Carmen aveva cambiato idea, aveva voluto a tutti i costi andarsene ed era uscita di casa. Aveva percorso quattrocento metri a piedi, fino al bivio sulla strada statale, con addosso la felpa che Florian le aveva dato, insistendo, perché fuori faceva freddo.

A questo punto erano le due e quaranta, e non ci sono grandi dubbi, perché a confermare la versione di Florian ecco le tracce del traffico telefonico tra i cellulari dei due. Gli SMS e le chiamate che si scambiano dalle due e quaranta fino alle due e cinquantasette dimostrano che i giovani non erano assieme nello stesso posto. Almeno in quei venti minuti. Venti minuti che Carmen trascorre da sola ad attendere un passaggio in autostop. Fino a quando Florian esce e la raggiunge, per convincerla a tornare a casa con lui. La ragazza non vuole e perciò Florian la afferra per un braccio e cerca di trascinarla, ma Carmen resiste. Allora si rassegna, Florian, e rimane tranquillo accanto a lei ad aspettare qualcuno che le dia un passaggio. Non è ancora arrivato nessuno quando lui l'ha lasciata di nuovo. Verso le tre e trenta, tre e quaranta, dice lui.

Ma a questo punto la polizia e i magistrati smettono di credergli.

Perché c'è una telefonata di Carmen, fatta quasi certamente per sbaglio, schiacciando un tasto del cellulare che probabilmente aveva in tasca. Una telefonata indirizzata a un'amica, che è rimasta registrata sulla sua segreteria, ed è partita alle tre e quindici, quando Florian avrebbe dovuto essere con Carmen, tranquillo e sereno, ad aspettare sulla strada.

È una strana telefonata.

«Dai, portatemi a casa» dice Carmen, in dialetto tirolese «…mi dispiace, non lo faccio in due, porci… vanno tutti nella direzione sbagliata…»

«Non ce la fai a fare tredici chilometri a piedi,» dice una

voce maschile «sono tredici chilometri, sono tredici chilometri... non riesci a farli a piedi.»

«Siete dei porci» continua Carmen, concitata «tornano
tutti indietro... sì, voglio andare a casa, fatemi scendere...
vanno tutti nella direzione sbagliata.» Urla, Carmen, soprattutto quella parola, porci, e secondo i periti in quel
momento esprime paura e disperazione.

È strana, quella telefonata, ci sono molte cose ancora da
capire. Ma per gli investigatori almeno una certezza la offre. Che il racconto di Florian non corrisponde al vero. La
sua ricostruzione dei fatti è falsa.

Un'altra cosa non torna, ed è il medico legale che ne
parla nel suo rapporto. Nello stomaco della vittima ha ritrovato delle cipolline parzialmente digerite, nient'altro,
compatibili con quelle contenute in un vasetto di sottaceti
nel frigorifero di Florian. Un dato tecnico importante, che
permette di fissare il momento della morte a non più di
mezz'ora, massimo un'ora da quando sono state mangia-
te. Da questo e da altri elementi si può stabilire che la
morte risale alle tre e trenta, tre e quaranta.

E Florian in quel momento era con lei.

Florian resta in carcere per trenta mesi in attesa di essere processato dalla Corte d'Assise di Bolzano e nonostante continui a proclamarsi innocente il suo sembra un caso
semplice, già risolto. Florian ha ucciso Carmen e ne ha
scaricato il cadavere in quel fossato a Santo Stino.

E invece no.

C'è un colpo di scena.

C'è un uomo che si chiama Frank Thäder. Frank è tedesco, ha quarantaquattro anni e fa il camionista tra la Germania, l'Austria e l'Italia. Il 23 maggio 2003 la polizia tedesca lo va ad arrestare. Lo sospetta di aver ucciso una
ragazza, lo ha controllato assieme a duecentoventisette
camionisti che hanno attraversato il luogo del delitto e si è
convinta che sia stato lui a uccidere Anna Kolarova, una

ragazza ceca di trentun anni, trovata in una piazzola sull'autostrada vicino a Rosenheim. La polizia lo interroga per diciassette ore e alla fine Frank cede e confessa. Sì, ha dato un passaggio ad Anna, l'ha caricata all'autogrill «Nogaredo Est», sull'autostrada del Brennero, l'ha strangolata, se l'è portata dietro per sedici ore, fino a Norimberga, e poi l'ha gettata in una piazzola sulla strada del ritorno.

Non è l'unica vittima che gli viene attribuita. Secondo il settimanale viennese «News», Frank è un serial killer che potrebbe avere ucciso quaranta donne durante i suoi viaggi in tutta Europa, tra la Spagna e i paesi dell'Est, soprattutto in Italia, Austria e Germania. La polizia tedesca, più realisticamente, gliene attribuisce diciannove. Quella italiana almeno cinque. Di certo, lui ne ha confessate due.

Anna Kolarova.

E Carmen Wieser.

I magistrati italiani corrono a Rosenheim a interrogare Frank il 16 settembre 2003.

Sì, è vero, dice Frank, ha dato un passaggio a Carmen poco dopo le quattro e un quarto. Lui non va in Austria, va a Brunico, dalla parte opposta, ma Carmen accetta lo stesso pur di andarsene da lì. Nel camion Carmen, ancora un po' ubriaca, gli racconta la sua serata, la discoteca, i cocktail bevuti in compagnia di un ragazzo, il tentativo di telefonare a un'amica per farsi venire a prendere. Frank si ferma in una piazzola vicino a Brunico e ci prova con Carmen. La ragazza cerca di andarsene, ma lui la afferra per una spalla. A questo punto il racconto di Frank si fa confuso. Dice d'averla trattenuta per qualche minuto, tenendola sul sedile, e poco dopo si era accorto che era morta. Allora se l'era portata dietro nel suo giro di lavoro, gettata sulla brandina sopra la cabina del camion. All'altezza di Peschiera le aveva coperto il naso e la bocca con del nastro adesivo, era andato a scaricare della merce a Milano ed era tornato sulla strada per l'Austria. Aveva lasciato Carmen in quel fossato a Santo Stino di Livenza. L'aveva tenuta sul camion per sedici ore.

Non sa nemmeno chi sia quel Florian Sulzenbacher di cui gli parlano. E lui ha agito da solo, senza bisogno di complici.

Gli investigatori credono a Frank per alcuni motivi molto precisi. I particolari che riferisce sulla serata di Carmen poteva averli saputi solo da lei. La scientifica dichiara che il nastro adesivo trovato sul volto della ragazza è del tutto compatibile con un rotolo sequestrato a casa di Frank. La tessera Viacard del camionista è stata usata per uscire a Santo Stino, un'uscita che non poteva avere altro scopo che scaricare il corpo della giovane. E ci sono anche due testimoni che quella notte hanno visto Carmen parlare con un uomo che stava su un camion targato ZE (Zell am See), la targa di Frank.

C'è quindi un serial killer che si è dichiarato colpevole. È credibile, e poi ci sono testimoni che dicono d'avere visto Carmen in vita fin dopo le quattro e venti, e quindi la stima dell'ora della morte fatta in base allo stato di digestione delle cipolline diventa un'ipotesi, non più una certezza.

Processato dalla Corte d'Assise di Bolzano il 12 marzo 2004, Florian viene assolto dall'accusa di omicidio, ma condannato a due anni e mezzo, già scontati, per sequestro di persona e tentata violenza sessuale.

È la sentenza del primo grado di giudizio.

Quello di Florian Sulzenbacher è un caso che dimostra in modo esemplare il contributo delle scienze forensi alle indagini per un omicidio, un omicidio crudele e senza apparente movente. Comparazione tra frammenti di nastro adesivo, analisi dei tabulati telefonici, confronti tra le registrazioni di voci per l'attribuzione delle identità, esami necroscopici, indizi telematici dell'uso di una Viacard.

L'assassino ha lasciato le sue tracce sulla scena del crimine.

Ma quello di Florian Sulzenbacher è anche un caso esemplare di come l'imprevedibile sia sempre in agguato, di come le scienze forensi debbano mettersi al servizio delle indagini tradizionali, perché può capitare che tutto, compreso il laboratorio di criminalistica, punti il dito verso un colpevole.

Che però non è lui.

È un altro che passava di lì per caso.

E Carmen Wieser è diventata la sua vittima, proprio nel senso che il manuale di classificazione del crimine dell'FBI dà al termine «vittima»:

> Soggetto che diviene l'obiettivo dell'attacco dell'aggressore, incrociandone la strada nel momento in cui l'*offender* (l'«aggressore») valuta favorevoli le circostanze per commettere un crimine (assenza di testimoni, periodo della giornata, vulnerabilità, ecc.).

Ma forse le cose non stanno nemmeno così: la sentenza di primo grado non ha chiarito affatto la vicenda.

Gli avvocati della difesa hanno fatto appello. Secondo loro Florian non è responsabile nemmeno di sequestro e violenza.

Ma anche i pubblici ministeri di Bolzano, Guido Rispoli e Giancarlo Bramante, hanno fatto appello, perché non credono del tutto alla versione di Frank Thäder, e ritengono che Florian sia coinvolto nell'omicidio di Carmen Wieser.

Per loro i rilievi del laboratorio medico-legale parlano chiaro, più chiaro dei testimoni oculari, e dicono che Carmen è morta tra le tre e trenta e le tre e quaranta. E Florian a quell'ora era con lei.

Poi c'è quella strana telefonata partita alle tre e un quarto. Analizzata da tecnici specializzati, rivela che è stata effettuata dall'interno di un veicolo, e che oltre a Carmen e Florian c'era un terzo uomo.

I pubblici ministeri proseguono affermando che i luoghi in cui il cadavere della ragazza è stato scaricato erano conosciuti da Florian, non certo da Thäder. Il camionista poi, nel corso di un interrogatorio, aveva forse colto l'opportunità di ottenere degli sconti di pena, se si fosse attribuito interamente la responsabilità del delitto.

Ecco allora la tesi dell'accusa: l'incontro tra la vittima e il suo carnefice è stato del tutto casuale.

Carmen cerca di sfuggire a Florian, che è molto arrabbiato e vuole trascinarla a casa. La ragazza si divincola, corre in mezzo alla strada, proprio nel momento in cui arriva il camion di Frank Thäder, che si ferma e la fa salire.

È in questo momento che parte la telefonata, che racconta in modo drammatico dell'aggressione dei due uomini, un'aggressione che si conclude con la morte.

Non resta a Frank e Florian che decidere il luogo e le modalità con cui liberarsi del cadavere.

E la versione dei pubblici ministeri non si basa certo su ipotesi azzardate.

Ma sulle tracce.

Tracce criminali.

I

Fingerprints

Il caso degli Washington Snipers

Agli incroci delle strade di Sarajevo, negli anni Novanta, c'era sempre un cartello con sopra scritto *pazi snipers*. Significava «attenti ai cecchini» e voleva dire che in quello scorcio di strada, dietro quell'angolo, o attraverso quella fessura tra due palazzi, qualcuno, un tiratore scelto, un cecchino, poteva sparare ai passanti con un fucile di precisione. Per almeno ventun giorni, nell'ottobre del 2002, quello stesso cartello avrebbe potuto essere appeso anche negli Stati Uniti, nei dintorni di Washington, magari scritto in inglese corretto e non in quel miscuglio anglo-bosniaco. E avrebbe suscitato lo stesso terrore, la stessa paura di essere colpiti all'improvviso, e senza nessuna ragione, con precisione mortale. Da cecchino, proprio.

Il 2 ottobre 2002, alle cinque e venti del pomeriggio, un proiettile infrange la finestra della bottega di un artigiano in Georgia Avenue, ad Aspen Hill, poche miglia a nord di Washington, e si schiaccia contro la parete. Non colpisce nessuno, spaventa chi sta nel negozio, ma non ha altre conseguenze.

Meno di un'ora dopo, alle sei e quattro minuti, a Silver Spring, non molto lontano da Aspen Hill, c'è un uomo nel parcheggio di un negozio di alimentari. James D. Martin ha cinquantacinque anni e sta tornando alla sua macchina con la spesa, quando all'improvviso si accascia a terra. Lo ha colpito un proiettile, sparato da chissà dove. Il proiettile di un cecchino. Così preciso da ucciderlo sul colpo.

Il giorno dopo, il 3 ottobre 2002, è un giovedì. White Flint è un sobborgo di Rockville, sempre nel Maryland, poche miglia più lontano da Aspen Hill e Silver Spring. Sono le sette e un quarto del mattino. James Buchanan ha trentanove anni, fa il giardiniere e sta falciando il prato di un centro commerciale, quando viene colpito da un proiettile alla testa. Muore sul colpo.

Quasi un'ora dopo, alle otto e dodici minuti, Premkumar Walekar sta facendo benzina a un distributore della Mobil di Aspen Hill. Premkumar è di origine indiana, ha cinquantaquattro anni e ha quasi finito di fare il pieno quando viene ucciso da un proiettile sparato da qualcuno. Qualcuno che sta lontano. Un cecchino.

Venti minuti dopo, alle otto e trentasette, tocca a una donna. Sarah Ramos ha trentaquattro anni, è di origine salvadoregna e sta seduta su una panchina fuori dall'ufficio postale di Rossmoor Boulevard, a Silver Spring. Uccisa sul colpo.

Stessa cosa per Lori Ann Lewis-Rivera, che ha venticinque anni, e dopo le nove sta facendo il pieno con la sua macchina al distributore della Shell di Knewles Road, a Kensington, sempre lì attorno, nel Maryland. Le sparano e la uccidono sul colpo.

L'ultimo della giornata è Pascal Charlot. Pascal ha settantadue anni, è di origine haitiana e fa il carpentiere. Sono le nove e venti del mattino, è all'angolo tra Georgia Avenue e Kalmia Road, a Washington, quando gli sparano, uccidendolo. All'angolo della strada. Come in Bosnia, come a Sarajevo. Un cecchino.

Le notizie che appaiono da subito in televisione, in particolare sui canali dedicati alle news, sono allarmanti. Washington e dintorni sono considerati una delle zone più violente e pericolose degli Stati Uniti, le gang dei Creeps e dei Bloods si scontrano tutti i giorni nei ghetti e basta sbagliare zona con un capo di abbigliamento blu per farsi sparare dai Bloods che la controllano e viceversa con un capo rosso. Ma quei sei morti in meno di due giorni sono qualcosa di diverso. Sono stati ammazzati tutti in quel modo, lo stesso modo. Un colpo di fucile calibro 223, un proiettile piccolo ma ad alta velocità, in grado di ottenere effetti devastanti sulle vittime, che infatti sono tutte morte. Sei omicidi e tutti nell'arco di poche miglia. La parola che fa paura, qui, non è «gang». È «serial killer».

Il 4 ottobre 2002 è un venerdì. Sono le due e mezzo del pomeriggio e c'è una donna sui quarant'anni che sta attraversando il parcheggio di un centro commerciale di Fredericksburg, che è già in Virginia ma non è comunque molto lontano dalla zona dei sei omicidi, ottanta chilometri a sudovest di Washington. Qualcuno le spara con un fucile e la ferisce soltanto. È fortunata, la signora.

È fortunato anche un ragazzino di tredici anni di Bowie, nel Maryland, a nordest di Washington. Sono le otto e nove minuti della mattina di un lunedì, il 7 ottobre 2002, e il ragazzino è appena sceso dalla macchina del padre per andare a scuola, la scuola media Benjamin Tasker. Il proiettile di un fucile sparato da chissà dove lo prende in pieno petto, ferendolo gravemente.

Dean Harold Meyers, invece, ha meno fortuna. Dean ha cinquantatré anni e, alle otto e diciotto del pomeriggio del 9 ottobre 2002, sta facendo il pieno di gas alla stazione della Sunoco di Sudley Road, a Manassas, in Virginia. Qualcuno gli spara con un fucile e lo uccide sul colpo.

Due giorni dopo è venerdì, venerdì 11 ottobre 2002. Sono le nove e trenta del mattino. Kenneth Bridges ha cinquantatré anni e sta tornando a casa, quando si accorge di avere il serbatoio quasi vuoto. La strada per Philadelphia, in Pennsylvania, è ancora lunga, così si ferma al distributore della Exxon tra la Route 1 e Market Street, a Fredericksburg. Qualcuno gli spara con un fucile e lo uccide.

Adesso le notizie al telegiornale parlano apertamente di un serial killer, e sono davvero notizie che fanno paura. Quello che spaventa è la casualità di quanto accade. La varietà delle vittime. Il killer ce l'ha con gli immigrati perché ha sparato a due ispanici e a un indiano. No, perché ha ucciso e ferito anche dei bianchi nordmericani. Allora ce l'ha con le persone di mezza età. No, ha sparato anche a un tredicenne. Spara alla gente che fa benzina. No, anche nei parcheggi dei supermercati, per la strada e davanti a una scuola. Spara a qualunque cosa si muova. Proprio come un cecchino. Proprio come a Sarajevo. La paura comincia a diventare panico. La gente, a Washington DC e dintorni, fino al Maryland e alla Virginia, ha paura a uscire di casa. Le scuole applicano il «codice blu», uno stato di allerta che impedisce agli studenti qualunque attività all'aperto.

14 ottobre 2002. Ore nove e diciannove del pomeriggio. È un lunedì. Linda Franklin ha quarantasette anni, ed è stata in un negozio di computer al centro commerciale Seven Corners, di Falls Church, poche miglia a ovest di Washington. Sta caricando i suoi acquisti in macchina quando qualcuno le spara con un fucile, uccidendola sul colpo.

Sabato 19 ottobre 2002. Un uomo di trentasette anni sta attraversando il parcheggio della Ponderosa Steakhouse, un ristorante di Ashland, in Virginia. È al braccio di sua moglie quando viene colpito da un proiettile. Non muore ma resta ferito gravemente.

Martedì 22 ottobre 2002. Conrad Johnson ha trentacinque anni e fa l'autista d'autobus a Silver Spring. Sono le cinque e cinquantasei del mattino e Conrad sta smontando dal lavoro quando un proiettile di fucile lo colpisce alla pancia. È gravemente ferito e resta per qualche giorno a lottare tra la vita e la morte. Ma non ce la fa.

È l'ultimo, ma la gente ancora non lo sa. La gente sa che ci sono stati dieci morti e tre feriti in venti giorni, tutti colpiti da lontano quando meno se lo aspettavano e con criteri incomprensibili, tali da mettere in pericolo tutti, anche i bambini. È una situazione da guerra. Washington sarà anche una città violenta ma non è Sarajevo.

Il caso esplode con violenza sulla stampa. I dintorni di Washington vengono invasi da un battaglione di mille e quattrocento giornalisti che coprono la notizia ventiquattr'ore su ventiquattro e, proprio come un esercito, si accampano in tende attorno a quello che diventa il quartier generale della polizia. A Rockville, che si trova al centro della zona in cui è avvenuta la maggior parte degli omicidi.

A indagare sul caso c'è una squadra speciale comandata dal capo della polizia di Montgomery, Charles Moose. Assieme ai poliziotti ci sono anche molti criminologi, che si occupano delle indagini mettendo assieme tutti gli elementi disponibili.

Non sono molti.

Tutti gli omicidi e i ferimenti sono avvenuti da lunga distanza e con un colpo solo calibro 223. Sparato con un fucile di precisione, evidentemente. I colpi sono stati sparati tutti nei dintorni di Washington. Sette nella contea di Montgomery: Rockville, Silver Spring, Aspen Hill. Sei lungo le interstatali 50 e 95. Un'area, comunque, abbastanza ristretta.

Nient'altro.

Nei verbali della squadra speciale, sui giornali, nei programmi di news della televisione, nei talk show, vengono formulate le ipotesi più diverse.

Serial killer. Stesso *modus operandi* e vittime che non sembrano collegate da alcun nesso di causalità. Di più. A qualcuno viene in mente che sono passati esattamente venticinque anni da quando colpiva il famigerato Figlio di Sam. Che faceva il Figlio di Sam? Sparava alla gente. A New York, per tredici mesi, tra il 1976 e il 1977, aveva ucciso sei persone e ferito altre sette. Per lo più erano coppie di fidanzati. David Berkowitz aspettava che si appartassero, in macchina o su una panchina, si avvicinava silenziosamente, apriva il fuoco con una calibro 44, poi lasciava messaggi firmati «il Figlio di Sam» in cui si definiva un cacciatore e sfidava la polizia. Quando la polizia lo prese, scoprì che il Figlio di Sam era un giovane dall'aria per bene che si chiamava appunto David Berkowitz. Sam era l'ignaro padrone di un cane labrador che abitava vicino a Berkowitz. David era convinto che il cane, latrando, gli ordinasse di uccidere. 1977, 2002, fanno venticinque anni esatti. Che sia un *copycat*, un imitatore? Un serial killer che fa omaggio a un altro serial killer?

No, niente serial killer. Un imitatore, sì, ma di un altro genere. C'è una serie televisiva che si chiama «Omicide», e uno dei telefilm della serie mostra proprio un cecchino che spara alla gente. E se non fosse un programma televisivo? Se fosse un videogame? Se l'assassino fosse un ragazzino che ha passato troppo tempo davanti al computer e adesso non riesce più a distinguere la realtà dalla fantasia? Di più ancora. Un rituale. Un rituale satanico. Tutti quegli omicidi sono compiuti da una setta in base a un rituale predefinito. E se invece fossero terroristi? Sono terroristi, dice qualcun altro. Sono di Al Qaeda.

Intanto i vari esperti di *profiling* incaricati di disegnare un ritratto psicologico dell'assassino si mettono d'accordo su alcuni elementi. L'assassino è solo. L'assassino è un bianco. L'assassino è un single sui venti, trent'anni. L'assassino è un tipico residente del distretto di Washington.

Poi, succede qualcosa. Alla polizia arriva una telefonata. Ne arrivano tante, a centinaia. Di testimoni, ma anche di persone che si autoaccusano di essere il cecchino di Washington. Millantatori, pazzi, squinternati a caccia di un quarto d'ora di notorietà, ma fra questi ce n'è uno un po' diverso. È più deciso degli altri e si arrabbia molto perché non lo prendono sul serio. Inizia tutte le sue telefonate con «io sono Dio», e fa così anche quella volta, il 17 ottobre, quando chiama da un telefono pubblico della Virginia. «Io sono Dio», inizia e poi fa riferimento a un altro caso in cui avrebbe già ucciso, una rapina, avvenuta a Montgomery. Ma non Montgomery vicino a Washington, un'altra Montgomery, quella che si trova in Alabama. Lo precisa chiamando un prete di Ashland, il giorno dopo, e dato che proprio ad Ashland il sabato 19 viene ferito l'uomo di trentasette anni che sta attraversando il parcheggio di un ristorante, la polizia prende sul serio le telefonate e parte per Montgomery, Alabama.

In effetti, a Montgomery, Alabama, era successo qualcosa. Il 21 settembre c'era stata una rapina all'ABC Beverage, un negozio di liquori. Qualcuno aveva ucciso la proprietaria, Claudine Parker, e ferito gravemente alla testa la sua commessa, Kellie D. Adams, ma prima di scappare aveva lasciato un'impronta sulla copertina patinata di una rivista. L'impronta era stata raccolta dalla polizia di Montgomery e inviata all'AFIS, l'Automatic Fingerprint Identification System, un enorme database in grado di confrontare automaticamente le impronte di quarantaquattro milioni di individui schedati dall'FBI. E là era rimasta per ventisette giorni, prima che il cervellone da seicentoquaranta milioni di dollari dell'FBI le desse un nome e un cognome. Quello di Lee Boyd Malvo, diciassette anni, nero, originario di Kingston, in Giamaica. Un ragazzo gentile, educato e rispettoso, che si rivolgeva ai grandi con «sissignore» e «sissignora». Unico problema, l'immigrazione clandestina. Era arrivato a Miami di nascosto, dopo aver studiato in Giamaica e ad Haiti.

Malvo ha un padre adottivo, o almeno così viene considerato. Si chiama John Allen Williams, ma ha cambiato il suo nome in John Allen Muhammad quando si è convertito all'Islam. Ha quarantadue anni, è nato in Louisiana ed è nero anche lui. Era un soldato del genio, congedato nel '94 col grado di sergente. Non un granché come soldato, dicono i compagni, anche se lui racconta in giro di aver fatto la Guerra del Golfo nella Delta Force, le truppe speciali. È un appassionato di karate, e ha anche aperto una scuola, che però poi è fallita. Ma il karate non è la sua unica passione. Gli piace sparare. Non sarà un granché come soldato ma è un tiratore scelto. Aveva una casa, a Tacoma, nello Stato di Washington, nel cui giardino si allenava spesso a sparare contro un tronco d'albero.

Muhammad e Malvo sono molto legati. E sono scomparsi. Muhammad ha una macchina, una Chevrolet Caprice blu del '90. La polizia comincia a cercarla.

Il 24 ottobre 2002 c'è un camionista che sta parcheggiando il suo camion davanti al McDonald's che sta in un'area di servizio della I-70, vicino a Frederick. È l'una di notte, sta ascoltando la radio, canale Fox, il programma di Rita Cosby, e proprio in quel momento sente un appello della conduttrice che chiede aiuto alla gente per conto della polizia. Stanno cercando una macchina. Una Chevy Caprice blu del '90, targa NDA21Z. Il camionista guarda fuori dal finestrino e nota che c'è proprio una Caprice nell'area di servizio. Una Chevy Caprice. Blu. Del '90. Targa NDA21Z. Il camionista chiama il 911, il numero d'emergenza della polizia, e poi si chiude dentro il camioncino, come gli è stato chiesto. Poco dopo arrivano le SWAT, Special Weapons and Tactics, le squadre speciali della polizia, che si avvicinano rapidamente, sfondano i finestrini della Caprice e ci infilano dentro le armi, urlando agli occupanti di non muoversi. Lee Boyd Malvo e John Allen Muhammad non hanno neanche il tempo di muoversi.

Gli Washington Snipers, come la gente ha imparato a chiamarli, sono loro. Non c'è dubbio. Anche se sono due, sono neri e vengono da fuori. Nella Caprice gli agenti delle SWAT trovano un fucile, un Bushmaster 223, un fucile d'assalto con mirino di precisione e treppiede. E anche l'auto è stata modificata per poter passare dal sedile posteriore al portabagagli e poi sparare dall'interno. Padre e figlio dormivano nei motel, a volte in macchina si spostavano lungo le strade dei dintorni di Washington e colpivano. Una strana coppia di serial killer in versione nomade. È tutto annotato in un computer portatile che sta nella Caprice e che risulterà rubato il 5 settembre 2001 al proprietario di una pizzeria a Clynton, nel Maryland, ferito con sei colpi calibro 22.

Una dopo l'altra le prove si accumulano. Dimenticando le ricerche andate a vuoto, i profili sbagliati, e anche i ventisette giorni che ci sono voluti per elaborare l'impronta di Malvo, il capo dell'FBI Robert Mueller telefona al presidente Bush per dirgli che il caso è risolto.

Rinchiusi in una prigione federale, Muhammad e Malvo rifiutano di collaborare. Malvo tenta anche una fuga impossibile, infilandosi ammanettato in una conduttura dell'aria mentre è solo in una stanza degli interrogatori, ma lo riprendono subito. Intanto inizia la corsa, tra gli Stati coinvolti dagli omicidi, a chi processerà i due serial killer, Virginia, Maryland o Washington DC, tutti e tre con la pena di morte. A Washington ci sarebbe una moratoria che impedisce di applicare la pena, ma il governatore si affretta a dichiarare che per i due cecchini non vale. Vince la Virginia.

I due imputati vengono giudicati con procedimenti diversi. Durante il suo processo, Malvo comincia a collaborare. Ammette alcuni omicidi e racconta che, prima di sparare, lui e il patrigno pianificavano i colpi, facendo accurati sopralluoghi nei posti in cui avrebbero sparato e colpivano soltanto quando le condizioni del traffico offrivano loro una via di fuga. Si spostavano in continuazione e colpivano gente diversa per ostacolare le indagini. Spuntano anche altre rapine, altri omicidi e altri ferimenti, compiuti in Louisiana e in Alabama prima di quel periodo. Nel processo si precisa anche il movente degli omicidi. Soldi. Durante una delle loro telefonate gli Washington Snipers avevano chiesto dieci milioni di dollari per smettere di uccidere.

I processi si concludono nell'ottobre del 2004. Nel marzo arrivano le sentenze. Lee Boyd Malvo risponde «sissignora» a tutte le domande del giudice che presiede il suo processo. Si prende l'ergastolo. John Allen Muhammad ringrazia il giudice per la sua pazienza e si dichiara innocente di tutti i crimini. Viene condannato a morte.

Adesso è nel carcere di Jarrat, in attesa della fine dei vari procedimenti d'appello. Se gli va male, può scegliere tra un'iniezione letale e la sedia elettrica. Se non intende scegliere ci penserà lo Stato.

Iniezione letale, come di consuetudine.

Identificati. «*We have a match!*»

Non sapremo mai quante delle vittime degli Washington Snipers si sarebbero potute salvare, se solo si fosse arrivati per tempo al riconoscimento dei killer. Questo caso dimostra, se ce ne fosse bisogno, come una delle necessità assolute dell'investigatore sia quella di disporre di strumenti affidabili per identificare i criminali.

Il primo a pensarci, alla fine dell'Ottocento, è Alphonse Bertillon, o almeno è il primo a studiare un metodo sistematico e fondato su dati oggettivi. Inventa così l'antropometria segnaletica, basata su quello che chiama il *portrait parlé*, il ritratto parlato del delinquente, fatto di scatti fotografici, di fronte e di profilo sinistro a tre quarti, accompagnati da un cartellino dove sono scritte le tipologie e le misure particolari di varie parti del corpo.

Bertillon cerca i tratti che distinguono il volto di una persona dall'altra, e osserva che la lunghezza delle ossa non si modifica più dall'età di vent'anni, e però varia sempre, da individuo a individuo. Sulla base di questa «legge scientifica» stabilisce il codice dell'identità, fissando le undici parti da misurare, come l'orecchio, il naso, la lunghezza del piede sinistro e altre ancora. Assunto alla prefettura di Parigi nel maggio del 1879, Bertillon può verificare la validità del suo metodo «misurando» centinaia di detenuti, stabilendo criteri per le diverse tipologie razziali, inventando addirittura un apparecchio dotato di macchina fotografica e aste di misurazione incorporate.

E il tutto, con una punta di narcisismo, lo chiama «bertillonage».

Ritenuto rigorosamente scientifico, il sistema è adottato dalle polizie di tutto il mondo a partire dal 1888. Con disposizione della Direzione di polizia del 10 febbraio 1882 viene creato il servizio di identità giudiziaria della prefettura di Parigi, esteso con decreto dell'11 agosto 1893 a tutto il territorio nazionale.

Chiamano Bertillon a dirigerlo, fino al 1914, e lui controlla, fotografa e misura milioni di francesi.

Ma già dal 1905 il suo sforzo perde di significato, le sue intuizioni sono superate, gli strumenti che usa finiscono a poco a poco sugli scaffali dei musei.

È iniziata l'era delle impronte digitali.

In realtà qualche precedente c'era già stato, per la precisione tremila anni prima, in Cina, quando le impronte erano state utilizzate in calce ai documenti, anche se non sappiamo se la pratica avesse un valore cerimoniale o davvero lo scopo di identificare le parti in causa.

Ma la storia moderna delle *fingerprints*, le impronte digitali, nasce nel 1856, in India, con William Herschel. Herschel, funzionario del governo inglese, prende l'abitudine di chiedere che i residenti aggiungano in calce ai contratti l'impronta della propria mano destra. Anche qui, che l'azione fosse simbolica, o che l'inglese avesse scoperto così la possibilità di identificare le persone, sta di fatto che nulla viene pubblicato a livello scientifico. Fino al 1880.

È in quell'anno che compare sulla scena lo scozzese Henry Faulds, medico in un ospedale del Giappone, che racconta di un curioso fatto criminale.

Si tratta di un furto, di per sé una storia banale, durante il quale però il ladro ha lasciato le sue nitide impronte su un muro immacolato. Il principale sospettato viene subito arrestato, ma il «disegno» dei suoi polpastrelli non corrisponde a quello ritrovato sulla scena del delitto. È un altro, in un primo momento del tutto trascurato dalle indagini, a presentare le stesse impronte e, messo alle strette, finisce per confessare il furto.

Ecco, afferma Faulds, la dimostrazione dell'importanza delle *fingerprints* nell'identificazione dei criminali. Il medico scozzese tenta quindi di convincere Scotland Yard ad accettare le sue idee rivoluzionarie. Cerca perfino di avviare una prima sperimentazione sul campo, pagandola di tasca propria, ma i tempi, evidentemente, non sono maturi.

Un nuovo impulso arriva allora nel 1892 da Francis Galton con la pubblicazione di *Finger Prints*. Nel libro è descritta l'anatomia delle impronte, i metodi più opportuni per raccoglierle, e sono esposti due principi fondamentali: innanzitutto «non ci sono due individui al mondo che possiedano le stesse impronte», e poi «le impronte non si modificano con il passare degli anni, mai».

Galton riesce a essere più convincente di Faulds, e il governo britannico accetta le sue conclusioni e la proposta di utilizzare le impronte come metodo di identificazione. Naturalmente non sostituirà subito il metodo antropometrico di Bertillon, si limiterà per il momento a integrarlo.

Ma a giocare un brutto scherzo alle pratiche di Bertillon e a favorire le tesi di Galton, ci pensa un fatto insolito, una coincidenza che ha dell'incredibile.

Siamo nella prigione di Leavenworth, nel Kansas, l'anno è il 1903. Will West fa il suo ingresso in carcere, viene spogliato, misurato e schedato quando, tra l'incredulità degli agenti, si scopre che i suoi dati antropometrici corrispondono esattamente a quelli di un altro detenuto, oltre tutto un suo omonimo, un tale William West. Solo le impronte digitali permettono di distinguerli, oggettivamente, come due diversi individui.

È la fine del metodo francese e, prima negli Stati Uniti, poi in Gran Bretagna e nel resto d'Europa, l'analisi delle impronte digitali diventa il principale metodo di identificazione.

Due anni dopo la vicenda di Leavenworth, ecco il caso che farà la fortuna delle *fingerprints*.

27 marzo 1905. Sono le otto e mezzo del mattino a Deptford, Inghilterra, quando il giovane commesso del Chapman's Oil and Colour Shop arriva al lavoro.

Ma non trova nessuno ad aprirgli la porta, nemmeno il padrone del negozio, il vecchio Thomas Farrow, un uomo ancora in gamba nonostante i suoi settantun anni.

Lo trovano presto, il vecchio, disteso a terra con il cranio fracassato, in un lago di sangue, sotto una sedia capovolta che racconta di una lotta disperata. La moglie, Mrs Farrow, sta al piano di sopra, anche lei colpita alla testa ma ancora viva.

Il movente dell'aggressione appare subito chiaro all'ispettore Frederick Fox e al suo assistente Melville Mac-Naghten, quando viene mostrata loro la cassetta dei contanti completamente vuota.

Sulla base delle tracce lasciate sulla scena del crimine, i due uomini del Criminal Investigation Department, il CID di Scotland Yard, provano a ricostruire la dinamica del delitto. Non ci sono segni di effrazione, quindi il signor Farrow ha aperto la porta al suo assassino, e lo ha fatto prima dell'alba, perché marito e moglie indossano ancora la camicia da notte.

Colpito l'uomo, il criminale sarebbe salito al piano di sopra, e qui avrebbe scoperto il nascondiglio della cassetta del denaro e aggredito la signora Farrow, per poi scendere e sistemare definitivamente il signor Farrow, capace ancora di resistere.

L'assassino si è lavato poi le mani in un catino e ha abbandonato la scena lasciando a terra la calza che portava sul volto, e con in tasca una somma non superiore ai duemila euro di oggi.

L'unica testimone dell'accaduto sembra essere la signora Farrow, che però muore pochi giorni dopo per i colpi subiti, senza mai aver ripreso conoscenza.

Gli investigatori osservano, registrano ogni dettaglio, ogni possibile traccia, e sul fondo della cassetta di metallo trovano un'impronta chiara, nitida.

Si muovono però con cautela, perché sono ancora scettici sulle nuove tecniche scientifiche. È vero che in un caso sono riusciti a incastrare il colpevole di un furto con scasso, e proprio dalle impronte che ha lasciato dietro di sé, qui però si tratta di omicidio, e in tribunale bisogna arrivarci con prove sicure e inattaccabili.

Ma Scotland Yard è pur sempre la più moderna organizzazione di polizia al mondo, e nel campo delle impronte digitali ha assunto nel 1901 Edward Henry, proprio con l'incarico di creare la sezione impronte del CID. Nell'unità, al momento dei fatti di Deptford, lavora l'ispettore Charles Collins, ed è a lui che arriva il reperto, la scatola di metallo, con sopra il disegno lasciato dal polpastrello di un pollice. Collins esclude che la traccia appartenga alle vittime, e poi la confronta con le impronte dei delinquenti già schedati: nessuna corrispondenza.

A questo punto, inatteso, salta fuori un testimone. È un lattaio che ha visto due uomini allontanarsi dal negozio di Farrow nelle prime ore del mattino. E un altro testimone ha notato aggirarsi nelle vicinanze un tizio, uno che conosce e che si chiama Alfred Stratton.

Il caso sembra ormai risolto, ma quando viene condotto nel carcere dove Alfred è trattenuto con il fratello Albert, il lattaio non è più così certo di riconoscerli.

Non resta che prendere loro le impronte digitali. E confrontarle. Poche ore dopo viene trovata la corrispondenza sperata, perché la traccia è stata lasciata proprio dalla mano di uno dei due Stratton.

Ma ancora non è finita: occorre convincere la giuria e i giudici. E poi ci si mette anche un luminare del campo, nientemeno che Henry Faulds, che contesta, e dice che per avere una identificazione sicura non basta una sola impronta, ma occorrono tutte e dieci le dita.

Indizi di colpevolezza ce ne sono, e anche tanti, a cominciare dalle rudimentali maschere fatte con calze tagliate, ritrovate in possesso dei due. E poi si scopre che gli Stratton hanno cercato di pagare falsi testimoni per costruirsi un alibi, mentre invece sono stati visti nelle vicinanze di casa Farrow. E ancora, da dove hanno preso tutto quel denaro che avevano nelle tasche?

Ma si tratta di indizi, e si capisce subito che tutto si basa sulle dichiarazioni di Charles Collins, l'esperto delle impronte digitali. L'ispettore del CID si presenta in aula con i suoi ingrandimenti fotografici, illustra le tecniche che ha utilizzato, mostra a tutti gli undici punti di assoluta concordanza tra l'impronta del pollice dell'imputato e la traccia trovata sulla scena del crimine.

Non soltanto il pubblico inglese, ma anche le forze dell'ordine e il mondo delle scienze forensi aspettano un verdetto che dica a tutti se questa nuova tecnica potrà rivoluzionare il mondo delle indagini e costituire una prova sicura in tribunale.

Alla giuria bastano due ore: i fratelli Stratton sono colpevoli di omicidio di primo grado, condannati a morte per impiccagione.

Un caso che ha fatto storia, un caso che ha rivoluzionato il mondo della CSI, la Crime Scene Investigation.

Le impronte digitali non sono altro che la riproduzione dei solchi e degli avvallamenti che si trovano sulla superficie dei polpastrelli, ma anche sul palmo della mano e la pianta dei piedi, creati dalla natura per garantire un maggiore attrito, quindi una migliore presa.

La pelle è composta da strati di cellule, il più superficiale è l'epidermide, e in profondità troviamo il derma. Tra i due strati ci sono le papille dermiche che con il loro disegno determinano in superficie l'alternarsi di creste e solchi.

Rimuovere l'epidermide non porta alla distruzione delle impronte. Bisogna che il danno sia più profondo, di uno o anche due millimetri prima che la cicatrice provochi un'alterazione indelebile del disegno originale. Ma a questo punto la cicatrice in sé diventa un elemento di originalità.

Come è successo a uno dei più celebri gangster della storia.

John Dillinger è diventato ormai un'ossessione per J. Edgar Hoover, il potentissimo direttore dell'FBI. Le tante e clamorose rapine compiute nella zona di Chicago nella metà degli anni Trenta del Novecento gli hanno meritato il soprannome di «nemico pubblico numero uno».

Arrestato, è riuscito presto a fuggire da un carcere di massima sicurezza, e si è diretto verso lo Stato dell'Indiana dove ha trovato un nascondiglio. Ma la pressione dell'FBI inizia a diventare asfissiante. Non gli mancano amici e confidenti, anche tra i rappresentanti della legge, e da loro scopre come sia diventato facile incastrare un delinquente dalle impronte digitali che ha lasciato sulla scena di un crimine. Non c'è che una soluzione: ricorrere a qualche medico esperto di chirurgia plastica, magari con precedenti penali perché non vada in giro a parlare troppo.

Il tutto gli costa cinquemila dollari e un'anestesia che a momenti lo uccide, ma John Dillinger adesso ha una faccia diversa, e i polpastrelli delle sue dita bruciati dall'acido, con le impronte irriconoscibili. O almeno è quello che gli hanno fatto credere.

Ma qualcuno, in un ristorante, riconosce il gangster, nonostante i lineamenti modificati. Tende le orecchie e lo sente dire alle ragazze che lo accompagnano che ha intenzione di finire la serata in un teatro. Una soffiata alla polizia, gli agenti dell'FBI capiscono che le mete possono essere solo due, e allora organizzano due squadre di sorveglianza.

Una di queste, la sera del 22 luglio 1934 lo aspetta fuori dal Biograph Theatre. Quando l'uomo esce in compagnia di due donne gli gridano di arrendersi, di alzare le mani.

Forse il gangster cerca la pistola che tiene in tasca, forse gli agenti sono nervosi: John Dillinger finisce la sua vita con quattro pallottole in corpo, una delle quali lo raggiunge al collo, gli attraversa la testa ed esce dall'occhio destro.

Portano il suo corpo all'obitorio, gli prendono le impronte e scoprono che i cinquemila dollari non sono poi stati spesi così bene. Intorno alla zona bruciata dall'acido rimangono creste e solchi sufficienti per un confronto e un'identificazione certa.

Quel cadavere appartiene proprio all'ex nemico pubblico numero uno.

Originalità, si è detto. Perché ogni impronta presenta un disegno caratteristico, ottenuto dalla combinazione di figure. Terminazioni, biforcazioni e curvature definiscono quelle che si chiamano punti di riscontro o minuzie, e tre tipologie generali: le anse, presenti in una percentuale della popolazione che va dal 60 al 65 per cento, le spirali, dal 30 al 35 per cento, e gli archi, che si trovano nel 5 per cento dei casi.

Sulla base del disegno e delle caratteristiche è possibile distinguere quattro varietà di impronte, già descritte nella classificazione proposta da Galton: adelta, monodelta, bidelta e composta.

Per un occhio esperto, in un'impronta si possono riconoscere non meno di centocinquanta peculiarità, e queste consentono spesso di identificare un soggetto anche se sulla scena non ha lasciato un'impronta completa e perfetta, ma solo una parziale.

I matematici si sono affannati per dare una stima della probabilità che due individui abbiano le stesse impronte, ma non sono mai riusciti a raggiungere un risultato che abbia accontentato tutti.

Di fatto nell'esperienza pratica, e parliamo di milioni di casi analizzati in quasi cento anni, questo è un evento che non si è mai verificato.

Quando l'impronta è... latente

Sulle singole creste si aprono numerosi pori, lo sbocco di un canale sottilissimo che porta a una ghiandola del sudore. Attraverso queste aperture avviene la traspirazione, e quando tocchiamo un oggetto i prodotti della traspirazione si trasferiscono sulla sua superficie, insieme alle sostanze grasse che possiamo aver raccolto sulle dita quando ci siamo passati le mani tra i capelli. Sono impronte pressoché invisibili, e per questo chiamate impronte latenti.

Le tecniche per evidenziare le impronte papillari latenti

sono numerose e la probabilità di un buon risultato dipende dalla superficie su cui sono rimaste impresse, dal tempo che passa tra il contatto e la scoperta, dallo stato di conservazione, per temperatura e umidità e, naturalmente, dalla qualità dell'impronta stessa.

Per quanto riguarda il tempo trascorso, in condizioni ambientali ottimali un'impronta è «fresca» quando viene immediatamente riconosciuta, mentre è «vecchia» quando il periodo trascorso dal momento in cui è stata lasciata supera le cento ore.

Vecchie impronte, come in un vecchio caso, un altro di quelli che ha fatto la storia delle scienze forensi, e questa volta è successo in Italia.

È il 10 giugno 1924 quando Giacomo Matteotti, deputato socialista, viene rapito non lontano dalla sua abitazione. Pochi giorni prima, il 30 maggio, aveva lanciato il suo violento attacco al governo Mussolini, denunciando, in un discorso tenuto alle Camere, le violenze e i brogli in occasione delle recenti elezioni del 6 aprile.

E non aveva alcuna intenzione di smettere.

L'anno millenovecentoventiquattro il giorno 20 del mese di ottobre alle ore 9 nelle carceri Giudiziarie di Roma.

Avanti a noi, Avv. Comm. Del Giudice Mauro Presidente della Sezione di Accusa con l'intervento del P.M. Comm. Tancredi Guglielmo, assistiti dal Cancelliere sottoscritto, è comparso Dumini Amerigo il quale interrogato sulle generalità e ammonito sulle conseguenze a cui si espone ove le dichiari false, risponde:

Sono Dumini Amerigo già qualificato in atti.

Sciogliendo la riserva fatta nel mio precedente interrogatorio dichiaro che intendo dire la verità circa la fine dell'On. Matteotti…

Siccome io potevo disporre di un'automobile che mi aveva prestato il Filippelli, per le ragioni che ho esposte nei miei precedenti interrogatori, così coi miei amici nel pomeriggio del 10 giugno ci recammo nei pressi della casa Matteotti colla suddetta automobile. Scopo di quella gita era di indicare ai miei amici la casa dell'On. Matteotti e predisporre il servizio di sorveglianza, il quale doveva essere fatto da uno per volta, continuamente, di giorno e di notte. Lasciammo l'automobile all'imbocco di una via perpendicolare al Lungotevere. Io avevo scelto appunto quel posto, perché sapevo che di ordinario il Matteotti non faceva il Lungotevere, ma imboccava Via Flaminia per prendere il tram che porta nell'interno della città. Verso le ore 16 circa mentre stavamo per tornare in città all'improvviso Matteotti sbucò sul Lungotevere. Alla sua vista l'animo mi si turbò, innanzi alla mia mente si profilò la figura di Bonservizi assassinato, ed improvvisamente mi determinai ad approfittare dell'occasione. Prendere per forza il Matteotti, introdurlo nella vettura e trasportarlo in una località appartata, per fargli subire un interrogatorio circa l'uccisione del Bonservizi e degli altri. Io mi trovavo già nell'automobile al volante e diedi rapidamente ai miei compagni l'ordine di prendere il Matteotti e introdurlo nell'automobile. Il che fu eseguito in pochi secondi. Io misi a corsa l'automobile in direzione opposta a quella della città, ed intanto davo ordine a quelli che trattenevano il Matteotti di non fargli del male e lo assicuravo io stesso che non avrebbe ricevuto alcun maltrattamento, e che soltanto noi pretendevamo da lui delle spiegazioni circa l'affare Bonservizi. Dopo un certo tratto di strada di parecchi chilometri, forse 10 km, fui richiamato da uno di quelli che nell'automobile stavano col Matteotti, con la parola «ferma, ferma» concitatamente pronunciata. Fermai immediatamente la vettura e notai con spavento che il Matteotti era terribilmente pallido e dalla bocca emetteva del vomito sanguigno. Cercammo di aiutarlo in ogni modo, ma ogni cura fu vana, giacché egli spirò mentre noi cercavamo di soccorrerlo.

Io rimasi così atterrito da quello scioglimento tragico ed impreveduto, che misi la macchina a tutta corsa e non conoscendo affatto le vie campestri di Roma vagai qua e là senza una meta prefissa. Però verso le ore 22 passando per una determinata località, di cui ignoro il nome e alla quale non saprei ora ritornare, scorsi un cartello del Touring od altra indicazione stradale, mi accorsi che stavamo avvicinandoci a Roma e ci trovavamo a circa 24 o 25 km mentre ne avevamo percorsi 60 o 70. Fermai allora l'automobile, scendemmo dalla vettura e quelli che mi accompagnavano trasportarono il cadavere nella direzione di un bosco, che appariva in distanza. Poco dopo qualcuno dei miei compagni ritornò dicendo che non si poteva fare la buca scavando con le mani, allora io pensai di usufruire di qualche arnese che formava la dotazione dell'automobile, forzai il cassetto del quale non avevo la chiave, presi la chiave inglese e la leva del cric, ed una lima, che consegnai al mio compagno. Io rimasi fermo in mezzo alla strada con l'automobile, mentre gli altri compivano l'operazione. Quando il seppellimento fu finito e mi pare che allora proprio fossero le 22, mentre ci eravamo fermati pel seppellimento circa alle ore 21, rimontammo tutti in automobile e partimmo per Roma ove giungemmo alle ore 23. Io portai l'automobile a quella ora stessa al Viminale, mentre gli altri compagni se ne andarono. Dopo un'altra ora circa andai a riprendere l'automobile al Viminale, la portai in vicinanza dell'Istituto delle Assicurazioni e salii negli uffici del «Corriere Italiano», chiedendo di poter avere un luogo per ricoverare la macchina. Fu così poi che la macchina, come dissi nei miei precedenti interrogatori, fu condotta al garage Quilici.

Letto confermato firmato: Amerigo Dumini

Amerigo Dumini, Albino Volpi, Giuseppe Viola, Amleto Poveromo, Augusto Malaria. A bordo di un'automobile di proprietà di Filippo Filippelli, direttore del «Corriere Italiano».

Sono loro i responsabili della morte di Giacomo Matteotti, uomini della CEKA, la polizia politica personale di Mussolini. Una morte che è un brutale omicidio, altro che un incidente.

Chi arriva a scoprire quegli assassini è un poliziotto della scientifica, Ugo Sorrentino, direttore del Servizio centrale di Segnalamento e Identificazione dal 1917 al 1943.

Ritrovata l'auto usata dai criminali per sequestrare Matteotti, la analizza centimetro per centimetro. Cerca ogni traccia, identifica le impronte digitali di chi su quella macchina c'è stato, le esalta e le raccoglie col metodo delle polveri.

Poi le confronta con quelle dei soggetti già schedati.

E risolve il caso, proprio come farà circa un anno dopo con un altro celebre mistero italiano, quello dello smemorato di Collegno.

Nemmeno una mente brillante come quella di Ugo Sorrentino poteva però immaginare quanti strumenti e quante tecniche sarebbero state inventate per recuperare il disegno papillare di un polpastrello. E su quasi tutte le superfici, a cominciare da quelle lisce ma insieme porose come le buste da lettera, i cartoncini, i fogli o anche i tessuti a trama fitta.

In questi casi un primo metodo prevede l'impiego di una soluzione di DFO, o 1,8 diazo-9-fluorenone, una sostanza che reagisce con gli amminoacidi. La fluorescenza emessa dal DFO viene poi esaltata da quella particolare apparecchiatura che è il Crimescope. Si tratta di una speciale lampada allo xenon, a lunghezza d'onda variabile nel campo che va dall'ultravioletto al visibile e all'infrarosso, ed è uno strumento usato anche per evidenziare tracce biologiche, fibre e residui di sparo sulla scena di un crimine.

Anche la ninidrina reagisce con gli amminoacidi, con cui forma un particolare complesso visibile a occhio nudo di colore rosso-violetto chiamato *purple Ruhemann's*. È un metodo veloce, pratico e poco costoso, e poi l'impronta può essere migliorata con il cloruro di zinco che si lega alla ninidrina, con una spiccata fluorescenza se illuminata dal laser.

Un'ottima tecnica utilizzata sia per gli oggetti porosi che non porosi è quella della deposizione metallica. Con una speciale apparecchiatura, in condizioni di vuoto, si fa evaporare dell'oro che si condensa sulla superficie da esaminare, e in particolare si deposita sulle parti non grasse dell'impronta. L'oro fa poi da supporto allo zinco che si vaporizza successivamente per migliorare il contrasto.

Quando invece il materiale su cui è impressa l'impronta non è poroso, i metodi cambiano. Se un delitto è appena stato commesso, non è raro trovare impronte «fresche», lasciate su una superficie liscia, e allora si possono utilizzare le cosiddette «polveri» esaltatrici, d'alluminio, magnetiche o fluorescenti, che vengono assorbite dalla componente acquosa e lipidica rivelando così il disegno papillare. Su oggetti come il vetro, la plastica e il metallo, si può usare preferibilmente il cianoacrilato, la stessa sostanza contenuta nel SuperAttack® di comune impiego. Il cianoacrilato, vaporizzato in una speciale camera barica, reagisce e forma un composto di colore bianco che corrisponde all'impronta. Se poi il contrasto non è sufficiente, si aggiunge un colorante rosa, la rodamina 6G, che si lega all'estere cianoacrilico e alle componenti lipidiche, ed emette una fluorescenza quando è sottoposta alla radiazione di una sorgente laser.

La pelle umana è fra i substrati più difficili dove cercare un'impronta. Perché ci può essere una contaminazione, oppure per la sudorazione del soggetto da esaminare, o ancora, nel caso di un cadavere, per i fenomeni putrefattivi.

Si prova allora con i fumi di iodio. La colorazione è debole e transitoria, ma basta a rendere visibili tracce che sono poi trasferite su una piastra lucida d'argento. Questa viene in seguito esposta a una intensa sorgente di luce con la formazione di composti bruno-scuri dovuta alla reazione tra iodio e argento.

Il metodo krome-kote consiste invece nell'uso di una speciale carta, simile a quella fotografica, che viene premuta sulla porzione di pelle scelta, per poi essere trattata con polvere di grafite.

Ma è talmente importante – e nello stesso tempo talmente difficile – cogliere l'impronta di un probabile assassino sul corpo di una vittima, che i tentativi e i metodi si sono moltiplicati. Si tenta con l'elettronografia, una radiografia in emissione elettronica, oppure con la fluorescenza laser indotta e ancora l'impiego dei fumi degli esteri cianoacrilici. Impossibile comunque esaurire in poche righe la costante ricerca di nuovi metodi, la sperimentazione continua che produce decine di articoli scientifici ogni anno. Siamo lontani anni luce dai difficili esordi di Herschel, Faulds e Galton.

Catalogare, archiviare, e poi confrontare

Certo i tre scienziati del XIX secolo, soprattutto Francis Galton, avevano capito l'importanza delle impronte digitali. Ma le loro intuizioni non sarebbero servite a nulla se altri scienziati, altrettanto determinati, non si fossero posti il problema di definire un metodo di classificazione che permettesse di catalogare migliaia di dati in un sistema logico e funzionale per la ricerca e il confronto.

Il primo a provarci, nel 1891, è Juan Vucetich, un ufficiale della polizia argentina: il suo metodo è ancora utilizzato nella maggior parte dei paesi di lingua e cultura spagnola. Pochi anni più tardi, nel 1897, Sir Edward Richard Henry stabilisce la classificazione che viene ufficialmente adottata da Scotland Yard quattro anni dopo, mentre nel 1907 Giovanni Gasti crea il sistema che da allora viene usato in Italia.

E che la possibilità e la disponibilità di un archivio siano fondamentali per risolvere un caso, lo dimostra la storia della piccola June Ann Dewaney.

Ha solo tre anni la piccola June e non sta molto bene, ha la polmonite, tanto che l'hanno dovuta ricoverare in un padiglione del Queen's Park Hospital di Blackburn, in Gran Bretagna, nel Lancashire.

Da lì scompare la mattina del 15 maggio 1948, ma nessuno se ne accorge per almeno un paio d'ore, quando medici e infermieri, allarmati, si mettono a cercarla. Trovano presto il suo piccolo corpo, abbandonato in uno dei giardini dell'ospedale, con i segni delle percosse, della violenza sessuale e dei morsi di chi l'ha aggredita.

Ma nessun segno che permetta di identificare l'assassino. Almeno all'inizio, perché le indagini nell'ala del Queen's Park Hospital dove June Ann Dewaney era ricoverata permettono di scoprire alcune impronte sul pavimento. Non appartengono a nessuno del personale, e portano al carrello per le medicazioni, dove manca un flacone di acqua sterilizzata, quindi al letto della piccola.

Qualcuno si sdraia a terra e trova il flacone, rotolato in un angolo buio. Sul vetro una serie di nitide impronte digitali. Ancora un confronto con chi ha accesso ai farmaci e una rapida conclusione. Le impronte appartengono al killer, qualcuno che doveva avere dimestichezza con i luoghi, che sapeva come agire indisturbato e dove abbandonare il corpo della sua vittima.

Un impegno enorme di mezzi e uomini permette di raccogliere e analizzare le impronte digitali di ogni maschio sopra i sedici anni dell'intera area metropolitana.

Più di 46.000 soggetti!

Otto settimane di lavoro e nessun risultato. Ma gli investigatori non si scoraggiano. Non solo i registri elettorali ma anche i registri per il razionamento del cibo in uso durante la guerra prevedono la raccolta delle impronte digitali. Un lavoro enorme di analisi, confronto, incrocio.

...11 agosto, soggetto numero 46.253: Peter Griffith, 22 anni, mugnaio a Blackburn...

Sono sue le impronte.

Una volta identificato, a inchiodarlo alle sue responsabilità sono altri indizi, come la corrispondenza delle sue scarpe con le impronte trovate sul luogo del delitto, e le fibre della camicia da notte di June trovate sui suoi vestiti. Al tempo del rapimento e dell'omicidio poi, nello stesso ospedale, era ricoverata la sua nipotina.

Incalzato, alla fine confessa. Viene giustiziato nel novembre dello stesso anno, tradito dalle sue impronte e dalla prima investigazione di massa sulle tracce raccolte sulla scena di un crimine.

Dagli inizi degli anni Settanta, con i primi elaboratori di calcolo dalle dimensioni accettabili, i sistemi di classificazione delle impronte digitali sono diventati sempre più facili e veloci da consultare, ma la vera rivoluzione è arrivata nel 1977, con l'introduzione negli Stati Uniti dell'AFIS, l'Automatic Fingerprint Identification System.

Oggi l'AFIS si basa sull'impiego di scanner che acquiscono l'immagine di un'impronta, identificano le caratteristiche delle minuzie, il loro orientamento e la posizione relativa, e permettono poi al computer di immagazzinare l'informazione sotto forma di uno schema geometrico registrato in digitale.

In questo modo l'AFIS è in grado di comparare migliaia di impronte al secondo. Per esempio, un set completo delle dieci impronte digitali delle mani può essere estratto, da un archivio di un milione di set altrettanto completi, in un periodo che va dai quindici ai venti secondi.

Naturalmente il sistema è in grado di analizzare singole impronte, o anche impronte parziali ritrovate sulla scena di un delitto, fornendo un elenco di file e immagini compatibili contenute nel database. In ogni caso, alla fine, è sempre l'uomo, l'operatore specializzato, a visionare i risultati e a stabilire la positività di un confronto.

Un caso, che meglio di tutte le altre considerazioni fa capire l'importanza degli archivi computerizzati, è avvenuto in California. Pochi minuti dopo che la neonata rete AFIS ha ricevuto il suo primo evento da esaminare, il computer è stato in grado di identificare e attribuire le impronte inserite a un serial killer che aveva già ucciso quindici volte nell'area di Los Angeles. Se un singolo operatore avesse manualmente fatto la stessa ricerca tra i cartellini segnaletici, avrebbe impiegato solamente sessantasette anni!

Il cadavere di uno sconosciuto in stato di decomposizione è sempre una sfida per il medico legale e per l'investigatore. C'è da dare un nome, quindi un'identità, e una risposta può arrivare dalle impronte digitali. Ma la putrefazione e i fenomeni di trasformazione del cadavere complicano il lavoro, e allora si sono studiati degli accorgimenti particolari prima di poter ottenere impronte valide per un confronto.

Quando un cadavere va incontro ai normali processi di trasformazione, possono accadere due cose: se ci sono condizioni di elevata umidità si verificano i processi della putrefazione o della saponificazione, mentre in carenza d'acqua si parla di carbonizzazione e di mummificazione.

I processi putrefattivi portano allo scollamento dell'epidermide delle mani e alla formazione di una specie di guanto che può essere letteralmente «indossato» dal tecnico, che poi inchiostra i polpastrelli e prende le impronte. Ma la prima cosa da fare è bloccare il deterioramento, immergendo la parte interessata in alcool etilico per un tempo che varia da pochi minuti sino a un massimo di due ore. È però un procedimento che rischia di provocare disidratazione eccessiva e la perdita del disegno papillare, quindi va gestito da professionisti che sappiano valutare il momento opportuno in cui fermare l'immersione.

In caso di saponificazione il dito si presenta indurito, la cute sfaldata, le creste appiattite, e i procedimenti utilizzati comportano prima il rigonfiamento, poi l'inchiostrazione. Anche davanti a un processo di mummificazione bisogna ammorbidire e rigonfiare. Di solito si alternano passaggi in alcool etilico al 90 per cento a soluzioni di idrossido di sodio al 5 per cento, per dare morbidezza, e iniezioni sottocu-

te di soluzione fisiologica per rigonfiare. Se ancora è difficile ottenere impronte con la classica inchiostrazione, si ricorre alla fotografia del dito a luce radente. In alternativa, ed è
un metodo di facile applicazione, si stende sull'impronta
un sottile strato di lattice che viene poi lasciato indurire. Lo
strato viene poi raccolto, fissato su un supporto e inchio-
strato, ricordando sempre che l'impronta ottenuta in questo modo è speculare all'originale.

L'ultimo caso è quello della carbonizzazione, anche se
sembra impossibile pensare di ottenere impronte digitali
da un corpo bruciato. Ma il fatto è che le mani, sottoposte
al forte calore, tendono a chiudersi a pugno, proteggendo
così il disegno dei polpastrelli. Bisogna comunque sgras-
sare con etere le parti coperte di fuliggine, e poi si possono utilizzare le tecniche descritte, soprattutto l'uso del
lattice.

II

Liquidi biologici e sangue

Il caso di Ferdinando Carretta

A Parma non succede mai niente. Come non succede a Ferrara, a Todi, a Pavia o a Vercelli. Sono città di provincia e in provincia, quasi per definizione, non succede mai niente e se anche succede è qualcosa che ha a che fare con piccole storie di sesso, di corna o di soldi. Roba più adatta a un film come *Il commissario Pepe*, di Ettore Scola, che a *Le Iene* di Quentin Tarantino. Il problema è che non è vero. A Varese, a Vicenza o a Ravenna, e anche a Parma succedono cose strane. Come il «caso Carretta».

I Carretta sono una famiglia normale e tranquilla che vive in un condominio altrettanto normale e tranquillo alla periferia di Parma, in via Rimini, al numero 8. Giuseppe Carretta ha cinquantadue anni e lavora alla Cerve, un'azienda che decora il vetro per conto del gruppo Bormioli; sua moglie Marta fa la casalinga e ci sono anche due figli, Nicola, ventitré anni, che fa il camionista, e Ferdinando, ventisette. Va bene, Ferdinando è un po' strano, un po' disturbato, è disoccupato e ha problemi nel fare amicizia, nel mantenere i rapporti con gli altri, ma succede, anche in provincia.

Il 5 agosto 1989 partono per le vacanze. Un giro in Eu-

ropa con il camper, tre settimane, non di più, perché a fine
agosto bisogna tornare tutti a lavorare. Fanno la spesa per
le provviste, fanno le valigie, la signora Marta riempie il
freezer di stracotto per Ferdinando che vuole restare a casa. Salutano tutti, i colleghi, i vicini, la signora del piano
di sopra, e il giorno dopo, alla mattina presto, sono già
partiti.

Però poi non tornano.

Arriva la fine di agosto, arriva il 28, giorno di rientro,
inizia settembre e alla Cerve il signor Giuseppe non si è
ancora visto. Non è normale, non per il signor Carretta,
che è un impiegato modello, con un ruolo importante, e
non ha mai sgarrato di un giorno. I colleghi si preoccupa-
no. Ha avvertito? Ha telefonato, ha detto qualcosa? No.
Sarà rimasto bloccato da qualche parte, forse si è ammala-
to, oppure sta troppo bene dov'è e si è preso un altro paio
di giorni... ma ha avvertito? No.

Allora è successo qualcosa.

I colleghi lo cercano, cercano il signor Giuseppe, gli te-
lefonano, suonano alla porta, ma non risponde nessuno.
Neanche i vicini l'hanno visto. Non solo, non hanno visto
neanche la signora Marta, Nicola o Ferdinando.

Sì, deve essere successo qualcosa.

I colleghi del signor Giuseppe si prendono la responsabilità e fanno sfondare la porta, pensando di trovare qualcosa di brutto. Invece non c'è niente, niente di strano nel-
l'appartamento che è pulito e in ordine come di solito la
signora Marta lo tiene. Non c'è niente di sospetto, va bene, ma non ci sono neanche i Carretta, Giuseppe, Marta,
Nicola e Ferdinando. Quattro persone. Sparite nel nulla.

I colleghi aspettano un altro paio di settimane, poi se-
gnalano la scomparsa alla polizia, che va a vedere e a parte un po' di patate e pomodori che intanto sono marciti
non trova niente di strano. Mancano i gioielli della signora Marta, ma non significa niente: di solito, quando si sta

via da casa per un po', si prendono o si nascondono da qualche parte.

Va bene, niente di strano. E allora i Carretta dove sono?

A Parma non succede mai niente. In provincia non succede mai niente, e se succede qualcosa è una piccola storia di sesso o di corna. O di soldi.

La prima cosa a cui si pensa sono proprio i soldi. Alla Cerve il signor Giuseppe ha un incarico particolare. Si occupa della cassa, ha la chiave della cassaforte della ditta e anche quella della cassetta di sicurezza in cui si tiene l'oro che serve per decorare il vetro. Vuoi vedere che il signor Giuseppe è scappato con la cassa?

I soldi. Sono una pista. Il giorno prima di partire, il signor Giuseppe ha prelevato dalla banca un milione in contanti. Poi ha aperto la cassaforte della ditta e ne ha presi altri tre, mettendo al loro posto un assegno. Anche questo potrebbe non significare niente, magari il signor Giuseppe aveva bisogno di contanti per andare in vacanza e ha cambiato un assegno. In quella cassaforte c'erano altri sessanta milioni, tutti in contanti, e sono ancora lì. Ed è ancora lì l'oro della cassetta di sicurezza. Però... le indagini sulla pista dei soldi portano a scoprire qualche irregolarità nella gestione dei fondi della ditta. Qualche movimento contabile compiuto dal signor Giuseppe che è servito a costituire fondi neri. Quanti? Milioni? Miliardi? È con quelli che il signor Giuseppe è scappato? Le indagini portano a quantificare con certezza l'entità dei fondi neri della ditta. Sono solo quei sessanta milioni. Ma la voce resta. Vuoi vedere che il signor Giuseppe è scappato con la cassa?

Anche perché intanto succede qualcosa.

In novembre, a Milano, viene trovato il camper della famiglia Carretta. Non è bruciato in una scarpata in Germania o in Francia, o bucherellato dai proiettili di qualche bandito da strada iugoslavo; è in un parcheggio vicino al carcere di San Vittore, perfettamente intatto, pulito e in ordine come l'appartamento di via Rimini. È stato posteggiato lì all'inizio di agosto, come dimostra una copia della «Gazzetta di Parma» datata 9 agosto e anche l'esame della batteria del camper. Niente sangue, vetri rotti o buchi di proiettile, tutto fa pensare che i Carretta siano arrivati fino a quel parcheggio senza problemi e di loro spontanea volontà, e allo stesso modo se ne siano andati. Dove?

A Parma non succede mai niente, e quando succede qualcosa, a Parma come in tutte le città di provincia, le voci si sprecano. Per la strada, nei bar, e poi sui giornali di tutta Italia. I Carretta sono ai Caraibi, a godersi i miliardi della ditta. No, sono in Venezuela. La signora Marta si è ammalata ed è morta, e il signor Giuseppe si è rifatto una vita e sta sull'isola di Aruba con una ragazzina giovanissima. I figli si sono arrabbiati con lui, sono andati a vivere a Valençia, vicino a Caracas, e allevano cavalli da corsa. Voci, illazioni, ipotesi, alcune sono notizie che giornalisti seri doverosamente riportano e correttamente valutano ed elaborano, perché molte di queste non sembrano affatto campate per aria. Altre sono soltanto pettegolezzi.

C'è qualcosa che non torna nella fuga del signor Giuseppe e della sua famiglia. Gli inquirenti, la polizia e i carabinieri di Parma, il magistrato di Milano che si occupa del caso dopo il ritrovamento del camper, che si chiama Antonio Di Pietro e dopo qualche anno diventerà molto famoso con l'inchiesta Mani Pulite, e anche la magistratura di Parma… sono in pochi a vederci chiaro in questa strana fuga con la cassa.

Intanto ci sono proprio i soldi, che se da una parte fanno pensare alla fuga, dall'altra la escludono. Il 4 agosto, il giorno prima di sparire, il signor Giuseppe va in banca e versa centocinquantamila lire, l'ultima rata per un fondo di investimento di otto milioni. È un uomo preciso, il signor Giuseppe, uno che rispetta le scadenze, e questo è proprio il comportamento di un uomo preciso e non di uno che sta per scappare con la cassa della ditta. Anche in questo caso, come per la cassaforte della Cerve, il signor Giuseppe lascia lì un sacco di soldi che sarebbero serviti per una fuga, centottanta milioni in BOT, pronti per essere cambiati.

Poi ci sono le valigie, piene di vestiti più adatti a stare in vacanza per un po' che a sparire per sempre, e anche quello stracotto pronto nel freezer per Ferdinando, come la signora aveva detto a una vicina di casa.

Già... e Ferdinando? Non voleva partire con gli altri, ma a casa non c'è. Dov'è Ferdinando? Ha cambiato idea? È scappato anche lui con gli altri?

Di Ferdinando qualcosa si sa, ed è qualcosa che non torna. L'8 agosto è andato alla Banca delle Comunicazioni, dove il padre ha un conto corrente, e ha prelevato cinque milioni con un assegno firmato dal signor Giuseppe. Poi è andato alla Banca del Monte e ha prelevato un milione dal conto di Nicola, sempre con un assegno. Solo che le firme non sono né di Nicola né del signor Giuseppe. Sono false, le ha fatte lui.

Dov'è Ferdinando? Dove sono il signor Giuseppe, la signora Marta e Nicola?

Forse a Parma non succede mai niente, ma questa cosa della famiglia Carretta, qualunque cosa sia, è un gran mistero.

Qualunque cosa sia.

È una brutta cosa. Lo si scopre dieci anni dopo.

È il 22 novembre 1998. Siamo a Londra. C'è un pony express che ha lasciato la moto in divieto di sosta. Quando torna, il pony trova un poliziotto che gli sta facendo la multa e alla richiesta del bobby gli mostra i documenti. Sono intestati a un certo Ferdinando Carretta, il cui nome è stato segnalato tanti anni prima dalla polizia italiana. È proprio lui, Ferdinando, che da molto tempo vive a Londra, in un piccolo appartamentino ai limiti della City e tira avanti alla giornata, con il sussidio e lavori saltuari come quello del pony express. La notizia arriva sia ai giornali che alla polizia e il magistrato di Parma che si occupa dell'inchiesta, il dottor Francesco Saverio Brancaccio, va a Londra a interrogare Ferdinando. Dove sono finiti suo padre, sua madre e suo fratello Nicola? Non lo sa. Non li ha più visti dal 1989.

Non è vero. Ferdinando non parla con il magistrato ma lo fa con qualcun altro. C'è una trasmissione televisiva in Italia che si chiama «Chi l'ha visto?», che da anni si occupa di persone scomparse e di misteri. Lo fa su Raitre e lo fa molto bene, con un gruppo di autori e registi che sono veri investigatori. Uno di questi è Giuseppe Rinaldi, che il 30 novembre vola a Londra con una troupe e ottiene da Ferdinando l'assenso a farsi intervistare sulla scomparsa della sua famiglia. E lì, davanti alle telecamere accese, gli dice che ha ucciso suo padre, sua madre e suo fratello.

Lo ha fatto perché si sentiva oppresso, soprattutto dal padre. Oppresso addirittura a livello fisico. Ferdinando aveva la strana abitudine di fare i suoi bisogni in casa, di nascosto, in un bicchiere o in un giornale, e un giorno, nel 1982, era stato scoperto dal padre che si era molto arrabbiato. Da allora non era riuscito più a sentirsi in pace con il suo corpo, vedeva il suo addome e il volto gonfiarsi, il pene rimpicciolirsi, sentiva dei rumori fuori dal bagno che gli impedivano di evacuare.

Così aveva deciso di farla finita. Aveva comprato una pistola, una piccola automatica Walther calibro 6.35, e aveva aspettato l'occasione giusta.

4 agosto 1989, è sera, sono tutti pronti per partire per le vacanze il giorno dopo e Nicola non è ancora rientrato. Ferdinando prende la pistola, arriva alle spalle del padre che è appena entrato nel ripostiglio e quando questi si gira gli spara. Poi esce nel corridoio, dove sta arrivando la

madre che ha sentito l'esplosione, e spara anche a lei. Sta arrivando Nicola. Ferdinando trascina via il corpo della madre perché lui non la veda, ricarica la pistola, aspetta che entri in casa e poi spara anche a lui. Non è finita. Torna nel ripostiglio e spara di nuovo al padre, per essere sicuro.

Porta tutti in bagno, dentro la vasca, e li copre d'acqua per ritardare la decomposizione. Poi li infila in tre sacchi di plastica, li trascina fuori, li carica nella macchina e si dirige verso una zona isolata sotto l'argine del Parma. Ma lì c'è una coppietta imboscata, così cambia idea, va a Viarolo, dove c'è un'enorme discarica, e li nasconde in quel luogo. Torna a casa, lava tutto, pulisce l'appartamento, cancella ogni traccia e poi va a dormire. Qualche giorno dopo è a Londra, con i soldi cambiati con gli assegni falsi.

È una confessione piena e completa quella che Ferdinando fa prima a «Chi l'ha visto?» e poi al dottor Brancaccio, quando l'Interpol lo riporta in Italia.

Ma c'è un problema.

A raccontare tutto questo è lui, Ferdinando, un ragazzo strano, che ha fatto una cosa strana e per motivi stranissimi. E se non è vero? Se si è inventato tutto? Se davvero il signor Giuseppe, la signora Marta e Nicola sono ancora vivi, magari ai Caraibi?

Per credergli ci vogliono prove. Per esempio i corpi che Ferdinando avrebbe nascosto nella discarica e che invece non si trovano. Certo, sono passati dieci anni, la discarica è molto grande, dieci chilometri quadrati, continuamente coperti di rifiuti, era impossibile trovarli. Allora la pistola. Ma quella Ferdinando l'ha buttata in un torrente sopra Parma e non si trova più. C'è anche qualche buco nel racconto di Ferdinando. Per esempio, tutti quei colpi che ha sparato in casa, di sera, con le finestre aperte per il caldo. Perché non li ha sentiti nessuno?

È a questo punto che entra in campo l'analisi della scena del crimine condotta dagli uomini del RIS di Parma, comandati dal colonnello Luciano Garofano. Quando ha sterminato la sua famiglia Ferdinando ha lasciato delle tracce. Ha sparato, ha sparso sangue, ha trascinato corpi. Ma è stato dieci anni prima e dopo ha lavato e pulito tutto. È possibile trovare delle tracce a distanza di tanti anni?

Il 15 dicembre 1998 il colonnello Garofano, il suo vice, capitano Marco Pizzamiglio, e un gruppo di specialisti dei RIS entrano al numero 8 di via Rimini. Li accompagnano il dottor Brancaccio e l'avvocato Dinacci, che difende Ferdinando.

Prima di tutto cercano di risolvere il problema degli spari. I marescialli Michele Pierni e Giuliano Ceneroni, esperti balistici, fanno delle prove. Sparano dentro un tubo di legno riempito di lana di vetro e ripetono la prova in diverse condizioni, con la televisione accesa, con le finestre aperte, con le finestre chiuse. Registrano l'intensità del rumore, la confrontano con quella della casa «in silenzio» e vedono che la differenza è minima. Significa che gli spari potevano non essere sentiti. Una 6.35 non fa molto rumore quando spara e in estate non c'è mai tutto quel silenzio che si pensa dovrebbe esserci. Non prova che Ferdinando dica la verità ma neppure che abbia mentito.

Il sangue, allora. Per trovare tracce di sangue ci sono alcuni sistemi perfezionati nel corso degli anni. C'è il Crimescope CS-16, una speciale lampada a lunghezza d'onda variabile. E c'è il Luminol, una sostanza che reagisce alla presenza di emoglobina. Si spruzza il Luminol su una superficie, si oscura la stanza, si accende la lampada, il Crimescope, e se ci sono tracce, anche minime, di emoglobina, cioè di sangue, questa assume una colorazione blu elettrico. E quando questo accade si procede, si passa ad altre prove, come il Combur® Test, una strisciolina di carta che messa a contatto con una traccia di sangue cambia colore.

Il maresciallo Tiziano Floris, il maresciallo Vincenzo

Nobile e l'appuntato Nazzareno Festuccia preparano macchine fotografiche e microscopici binoculari portatili. Poi assieme al colonnello Garofano e al capitano Pizzamiglio iniziano a setacciare l'appartamento. Cento metri quadrati. Ripostiglio, bagno, salone e due camere da letto. Dopo quasi dieci anni e dopo che l'appartamento ha cambiato padrone fino a rimanere sfitto.

Gli uomini del colonnello Garofano iniziano dal ripostiglio dove è stato ucciso il signor Giuseppe. Il pavimento è stato lavato, molte cose sono cambiate ma gli scaffali sono sempre quelli. Vengono passati al Luminol e al Crimescope ma niente. Allora lo zoccolo del pavimento. Difficile che quando si pulisce si arrivi fino là. Viene smontato e viene esaminato, come anche il tratto di parete che ci sta dietro. Niente. Niente sangue nel ripostiglio.

Si esaminano tutte le altre camere, il salone, il corridoio. Vengono spostati i mobili, smontato lo zoccolo dei pavimenti, sfilate le porte dai cardini. Luminol e Crimescope.

Niente.

Resta il bagno. Ferdinando ha raccontato di aver portato i suoi nella vasca da bagno e di averli lasciati lì per poi trascinarli fuori di casa. Non è una stanza facile, il bagno, è una delle parti della casa che viene pulita più frequentemente.

I carabinieri del RIS esaminano il bagno, una piccola stanza dalle piastrelle color bianco sporco, con un motivo a grandi fiori scuri. La vasca è incastrata in un angolo, tra il lavandino e la doccia, dietro una tenda di plastica blu.

I carabinieri smontano tutti gli accessori e controllano dietro lo specchio. Niente.

Controllano i sanitari, soprattutto il silicone che sigilla i punti di contatto con il pavimento e le piastrelle del muro, perché è in quelle fessure che potrebbe nascondersi qualcosa di utile. Niente.

Controllano la doccia. La cordina dell'allarme. Attenzione, c'è una macchiolina bruna. I carabinieri provano il Combur® Test e scoprono che è sangue. È già qualcosa, ma solo qualcosa. È una macchia piccola e non si sa ancora di chi è, né quando è finita lì.

C'è il portasapone. Non è un accessorio che di solito si pulisca con frequenza e quindi potrebbe essere utile esaminarlo con attenzione. I carabinieri smontano la vaschetta di porcellana, smontano il piatto di legno che la regge, smontano il tassello di gomma che la fa aderire ancora alla piastrella attraverso una base di legno e lì trovano qualcosa. Sul bordo della vasca, proprio sotto il portasapone, c'è una striscia color marrone scuro, come una specie di baffo. Il colonnello Garofano lo osserva con una lente di ingrandimento e sì, sembra proprio sangue. Raccolgono il baffo scuro e lo esaminano con il Combur® Test. È sangue. E ce n'è ancora, sotto il tassello di gomma.

Il sangue sulla cordicella può essere finito lì in tanti modi, dalle dita di qualcuno a cui ha sanguinato il naso o che si è tagliato facendosi la barba. Ma là sotto è più difficile. Per arrivare fin là deve essere successo qualcosa di strano.

Le macchie di sangue raccolte dai carabinieri del RIS in un appartamento di cento metri quadrati dopo quasi dieci anni vengono mandate al laboratorio ed esaminate da un collegio misto di professori universitari ed esperti del RIS.

Attraverso l'esame del DNA il collegio riesce ad accertare che si tratta di sangue umano. Di più, ci sono tracce di sangue sia maschile che femminile. Tutti e due i tipi di sangue, mescolati lì, in quel posto inaccessibile. Dove, secondo il racconto di Ferdinando, sarebbero stati ammucchiati suo padre Giuseppe, sua madre Marta e suo fratello Nicola.

Non basta. Bisogna sapere con certezza se quello è davvero il sangue di Giuseppe, Marta e Nicola. Lo si può scoprire con il DNA del sangue repertato, ma questo deve essere confrontato con quello delle vittime. Ma come si fa se Giuseppe, Marta e Nicola sono scomparsi e i loro corpi, morti o vivi che siano, non sono mai stati ritrovati? Si può fare sui genitori del signor Giuseppe e della signora Marta. Tre dei quali sono già morti, e quindi i loro corpi vengono riesumati ed esaminati dal professor Maurizio Gennari, dell'Istituto di Medicina legale di Parma, che preleva frammenti delle ossa e denti da cui trarre il DNA. Una è ancora viva e a lei vengono prelevati campioni di saliva.

Gli esperti del collegio misto effettuano l'esame del DNA. Il risultato è che il sangue trovato nel bagno è riconducibile alla famiglia Carretta. Per il magistrato che coordina le indagini e per il tribunale Ferdinando ha detto la verità. Ha ucciso lui suo padre Giuseppe, sua madre Marta e suo fratello Nicola.

Il 15 novembre 1999, la Corte d'Assise di Parma, pur riconoscendo Ferdinando Carretta autore dei tre omicidi, stabilisce che, al momento del fatto, era incapace di intendere e di volere sulla base della perizia dei professori Cesare Piccinini, Vittorino Andreoli e Giovambattista Cassano.

Ferdinando viene rinchiuso in un ospedale psichiatrico giudiziario. Il 21 febbraio 2004 il Tribunale di Sorveglianza gli concede la semilibertà su richiesta dei suoi avvocati, Marco Moglia e Gianluca Paglia. Ferdinando è migliorato, frequenta un corso di informatica all'istituto Enaip di Mantova e parla di mettere su famiglia, sposarsi e avere dei figli. Ma è ancora presto, perché dopo l'ospedale psichiatrico c'è la comunità. Bisogna essere sicuri che la follia non abiterà più la sua mente. Forse entrerà anche in possesso dell'eredità dei genitori, contesa dalle zie materne, stimata attorno al mezzo milione di euro. Nonostante la prima sentenza del tribunale gli abbia dato torto, è ricorso in appello e promette battaglia.

Un'altra città di provincia, dove non succede mai niente.

Il caso di Ferdinando Carretta lo dimostra, anche se ci sono voluti anni per arrivare a una soluzione: difficile che un delitto violento non comporti un contatto fisico tra vittima e aggressore. E se c'è contatto, allora c'è pure uno scambio di materia. Fibre e polveri, ma certamente anche sostanze biologiche come capelli e peli, sudore e saliva, oppure liquido seminale.

Ricercare e analizzare correttamente queste tracce è ancora più importante nel caso in cui la vittima non sia in grado di riconoscere il suo aggressore, oppure sia stata sopraffatta e uccisa in assenza di testimoni.

In ogni omicidio in cui si sospetti uno sfondo sessuale bisogna innanzitutto saper identificare e raccogliere campioni di seme, e per questo non bastano i tamponi presi dagli orifizi naturali e dalla pelle della vittima, ma si cercano tracce anche sugli indumenti, sulla biancheria intima, su letti e pavimenti.

Lo sperma non è altro che una miscela di consistenza gelatinosa formata da cellule, gli spermatozoi, e poi da amminoacidi, zuccheri, sali e altri elementi organici e inorganici. A partire dal XIX secolo gli scienziati hanno sviluppato metodi di ricerca per riconoscerne la presenza sul corpo di una vittima, ma fino alla metà dell'Ottocento l'unico strumento utilizzato era il microscopio ottico. Con alcuni limiti però, come nel caso di un colpevole affetto da azoospermia, una patologia non rara e caratterizzata dall'assenza di spermatozoi nell'eiaculato.

La ricerca si è perciò concentrata sullo sviluppo di test sensibili alla presenza di proteine o enzimi specifici, per esempio le fosfatasi acide. Così, nel 1978, si è scoperto che il PSA, Prostate-Specific Antigen, è un marker estremamente sensibile allo scopo, e nel 1999 si è adottato un sistema basato su una reazione antigene-anticorpo ancora più rapido e semplice.

Un secondo liquido biologico è la saliva, una secrezione leggermente alcalina composta da acqua, proteine, sali ed enzimi, prodotta in quantità che vanno dal litro al litro e mezzo al giorno e con un ruolo nella prima fase della digestione. Anche in questo caso le prove utilizzate mirano a riconoscere un enzima, la ptialina, o alfa-amilasi. Una traccia di saliva, o meglio le cellule che contiene e che provengono dalla cavità orale, possono risultare fatali per il criminale che getta un mozzicone di sigaretta appena fumato, chiude una busta o attacca un francobollo con una richiesta di riscatto. Perché da quelle cellule si può estrarre il DNA e avere un profilo genetico.

È invece difficile trovare tracce utili in urine, feci e vomito, quando sono presenti sulla scena di un crimine. L'urina è composta essenzialmente di acqua e sali, e per riconoscerne la presenza si cercano due composti organici, l'urea e la creatinina. La presenza di cellule è decisamente scarsa e in genere sono cellule epiteliali provenienti dal tratto urinario, ma così «diluite» che è complicato usarle per un'indagine genetica.

Anche se ogni giorno più di un migliaio di cellule vengono eliminate attraverso il tratto intestinale, l'azione dei pigmenti biliari, dei batteri e degli enzimi digestivi rende quasi impossibile ritrovare nelle feci materiale idoneo per un esame del DNA.

Ma anche in questi casi, quando non è possibile ricorrere alle indagini sul DNA, il lavoro degli scienziati forensi può risultare determinante.

Al dipartimento di Biologia degli organismi, dell'ambiente e delle popolazioni dell'Università del Colorado è arrivata una strana richiesta dagli investigatori della città di Boulder. Si tratta di effettuare una comparazione tra il materiale fecale ritrovato nel bagno di una chiesa in cui è stato commesso un furto e alcune tracce presenti sugli indumenti di un individuo sospettato.

Di lui si sa che soffre di un disturbo gastrointestinale, il morbo di Crohn, capace di indurre lo stimolo a evacuare in modo imprevedibile e improvviso. L'uomo nega ogni responsabilità, e l'insolita prova è l'unica che lo possa incastrare.

I ricercatori del dipartimento sanno che il microscopio permette l'identificazione delle feci da almeno cento anni, attraverso peculiarità delle componenti chimiche, oppure riconoscendo l'esistenza di parassiti. Ma loro vogliono puntare sulla originale presenza di cellule vegetali, e ricordano un precedente, un caso avvenuto nel 1948, dove appunto queste caratteristiche avevano legato le tracce rimaste sotto le suole delle scarpe di un criminale alla scena del delitto.

Prendono il materiale prelevato in chiesa, lo polverizzano con mortaio e pestello, poi lo sciolgono in formalina. La stessa cosa fanno con le incrostazioni presenti sugli abiti del sospetto.

Poi passano i campioni al microscopio. E osservano.

La presenza di bucce e polpa di fagioli, il rivestimento dei granuli di pepe, strati superficiali di rivestimento di una cipolla, e tanto altro ancora da poter affermare che ci sono pochi dubbi: i campioni provengono dallo stesso soggetto. Il quale messo davanti ai risultati del laboratorio dichiara la propria colpevolezza, e lo fa imprecando: fino ad allora gli attacchi di dissenteria si erano limitati a rovinargli qualche buona occasione sociale. Ora gli costavano la libertà.

Per il vomito poi non esistono reagenti specifici, e piuttosto la presenza di frammenti di cibo non digerito è utile per determinare l'intervallo di tempo trascorso dalla morte, sempre che si conosca il momento dell'ultimo pasto della vittima.

Il sangue

Qualcuno lo definisce addirittura un «organo liquido», fatto di plasma e cellule, i globuli rossi, i bianchi, le piastrine. Il sangue è una massa vischiosa che scorre incessantemente nelle arterie e nelle vene: cinque, sei litri, spinti dal pompare del cuore in un sistema di vasi che messi in fila uno dopo l'altro finirebbero per avere una lunghezza di 96.000 chilometri.

Raggiunge direttamente ogni cellula, con poche eccezioni, come la cornea degli occhi, i capelli e i peli del corpo, lo smalto dei denti, le unghie. Ecco perché costituisce un problema per qualunque aggressore, perché ogni ferita, ogni taglio sul corpo di una vittima si traduce in una goccia, uno schizzo, una traccia lasciata sulla scena del crimine. Senza contare che, a sua volta, chi colpisce può ferirsi, e allora resteranno anche le sue, di tracce.

Dalla forma, dalla grandezza e dalla distribuzione delle gocce di sangue gli esperti cominciano a ricostruire i punti d'origine, la traiettoria, la dinamica, con quella tecnica speciale che è la BPA, la Bloodstain Pattern Analysis, ovvero l'interpretazione del disegno prodotto dalle macchie e dagli schizzi di sangue, una disciplina che ha conquistato negli ultimi anni un posto di primo piano tra le scienze forensi.

Ma anche qui niente di nuovo, se è vero che un accenno alla materia è già contenuto nel verbale di un processo celebrato a Londra nel 1514. Il vero fondatore della disciplina è considerato comunque Eduard Piotrowski, assistente dell'Istituto di Medicina legale di Cracovia, che nel 1895 dà alle stampe un testo dal titolo *Dell'origini, la forma, la di-*

rezione e la distribuzione delle macchie di sangue susseguenti
alle ferite alla testa causate da corpi contundenti.

In tempi più recenti la pietra miliare nel campo della BPA è rappresentata dalla consulenza del 1955 di Paul Kirk, professore a Berkeley, in uno dei delitti più celebri degli Stati Uniti, diventato in tribunale il procedimento «lo Stato dell'Ohio contro Sam Sheppard». E da allora gli articoli scientifici e le applicazioni pratiche di questa branca delle scienze forensi si sono sviluppati in maniera incredibile.

Il caso di Sam Sheppard è famoso. Gli hanno pure costruito intorno una serie televisiva, passata anche sui nostri schermi e intitolata «Il fuggitivo». E tutto comincia nelle prime ore del mattino del 4 luglio 1954.

Sam Sheppard, promettente neurochirurgo di trent'anni, e sua moglie Marilyn, incinta di quattro mesi, hanno avuto ospiti per cena, nella loro bella casa di fronte al lago, nel Bay Village vicino a Cleveland, Ohio.

Sam si è addormentato guardando la televisione, ma si sveglia quando gli sembra di sentire la voce di Marilyn. Sale al primo piano, dove sono le camere da letto e, prima di rendersi conto di quello che è capitato, viene colpito alle spalle e crolla privo di sensi.

Si riprende quasi subito e si trascina nella stanza della moglie, che trova coperta di sangue. Cerca di sentirle il polso, un respiro, ma in fondo è un medico, e capisce subito che non c'è più nulla da fare. Allora gli viene in mente Chip, il suo bimbo di sette anni, e corre nella cameretta.

Il piccolo è a letto. Dorme tranquillamente. Non si è accorto di nulla.

Nel silenzio della notte Sam sente chiaramente un rumore che arriva dal basso e si precipita per le scale, in tempo per vedere una sagoma uscire dalla porta sul retro e fuggire in direzione del lago. Gli pare un uomo di mezz'età, alto almeno un metro e novanta, con folti capelli scuri e una maglietta bianca. Non esita e si getta all'inseguimento, e alla fine lo afferra alle spalle, lo trascina a terra.

Ma l'uomo è più forte, gli mette le mani al collo, e per Sam scende di nuovo il buio. Ancora una volta si rialza, stordito, e rientra in casa. Chiama i vicini, Spencer Honk, sindaco di Bay Village, che arriva subito con la moglie Esther.

Sono le sei del mattino del 4 luglio, giorno di festa per tutti gli americani. Sam viene trattenuto qualche ora in ospedale per lo shock e per le ferite al collo che ha riportato durante la lotta.

È la polizia di Cleveland a occuparsi delle indagini, con l'aiuto del coroner, il dottor Sam Berger. Ma la gente del posto presto inizia a sospettare che il colpevole sia il marito, e i media raccolgono e sostengono, scandalosamente, questa ipotesi. Non passa giorno che radio e giornali non chiedano la testa di Sam Sheppard, e alla fine ci riescono.

Il neurochirurgo viene arrestato il 30 luglio, incriminato il 17 agosto e processato in settembre.

Le udienze durano sei settimane e alla fine la sentenza è quella di colpevolezza. Omicidio di secondo grado e una condanna a vita.

Per l'accusa Sam ha ucciso perché non sopportava più la moglie, perché il loro rapporto era in crisi, e le ferite che gli ha procurato l'aggressore in realtà sono superficiali e se le è fatte da solo. E poi c'è l'impronta di un coltello chirurgico, l'arma del delitto, che risulta ben evidente sul cuscino di Marilyn.

La difesa porta un testimone che dice di aver visto un mozzicone di sigaretta galleggiare nella tazza del water. E nessuno, in casa Sheppard, fumava. Qualcuno ha poi visto aggirarsi nei dintorni della casa un uomo alto, capelli folti, una maglietta bianca.

Certo che il processo ne lascia di dubbi. Innanzitutto la sigaretta, che sparisce e nessuno trova più. Poi la testimonianza di un radiologo, un otorino e un neurologo, che parlano per Sam di frattura di una vertebra cervicale con lesione del midollo spinale e di un dente scheggiato. Difficile che uno si produca da solo lesioni simili.

Nessuno ha poi cercato tracce sul corpo della vittima, fibre per esempio, ma anche i segni di una violenza sessuale. C'è anche un dente spezzato sotto il letto di Marilyn, e non è né della donna né di suo marito.

Una scena del crimine con schizzi di sangue ovunque, e nessuna analisi delle macchie; anzi, nemmeno sono state identificate tutte le gocce.

La BPA nasce dall'analisi delle proprietà del sangue umano sia sotto l'aspetto biologico sia sotto quello fisico. Concetti come tensione di superficie e viscosità avvicinano il sangue ad altri fluidi, e il comportamento di una goccia che cade segue regole e caratteristiche ben definite.

Si può così stabilire se il sangue proviene da una ferita che ha reciso i vasi venosi, dove la pressione è più bassa, oppure gli arteriosi, l'altezza da cui una goccia è caduta, il movimento e la posizione nello spazio di un corpo ferito. La parte più stretta di una goccia allungata indica, per esempio, la direzione di provenienza.

In caso di più gocce, se tracciamo le linee che attraversano l'asse maggiore di ciascuna, queste convergono in un punto, e si comprende così da dove provengono le gocce di sangue. Se poi determiniamo l'angolo di impatto della goccia su una superficie otteniamo un ulteriore dato che ci permette di scoprire il punto, o l'area di origine, in una prospettiva tridimensionale. Ma non è tutto, perché la BPA può dirci qualcosa anche sul tipo di impatto e la direzione del colpo, sul numero di colpi, sul genere di oggetto che ha prodotto particolari schizzi e macchie di sangue.

E poi la ricostruzione della posizione della vittima, dell'aggressore e degli oggetti presenti sulla scena permette di verificare la concordanza o la contraddizione con le dichiarazioni rese da un testimone.

Identificare la presenza di sangue

Se schizzi, imbrattamenti o grandi chiazze non creano grossi problemi di riconoscimento agli uomini della scientifica, talvolta le tracce di sangue non sono così evidenti, e bisogna saperle trovare.

Il metodo non è complicato, basta affidarlo alle mani di seri professionisti, e prevede un primo test di *screening* seguito da una prova di conferma. Con due avvertenze: la prima è che non esiste alcuna prova che presa singolarmente sia assolutamente specifica per il sangue; la seconda riguarda la possibilità di false reazioni positive, quando cioè la risposta al test avviene anche con sostanze diverse.

I test preliminari si dividono in due grandi categorie: quelli che producono una visibile reazione colorata e quelli che si traducono in una liberazione di luce.

I primi sono test catalitici, e si basano sulla reazione di ossidazione chimica che avviene quando a una sostanza cromogena viene aggiunto un agente ossidante in presenza di emoglobina che funziona da catalizzatore. Un risultato positivo si traduce allora nella produzione di colore.

La prima sostanza a essere stata impiegata in campo forense è stata la benzidina, quanto meno fino al 1974, quando si è scoperto che poteva provocare il cancro ed è stata quindi praticamente ritirata. Si è passati allora alla fenolftaleina, che produce al contatto con il sangue uno splendido color rosa, poi alla tolidina, anche questa ritirata per la sua tossicità. Oggi si utilizza la tetrametilbenzidina, più conosciuta come Combur® Test, una striscia diagnostica venduta anche in farmacia, perché il suo normale impiego è quello di rilevare la presenza di sangue nelle urine. Basta prendere un tamponcino di cotone bagnato con acqua distillata e metterlo a contatto con ciò che sembra una traccia di sangue, quindi avvicinarlo alla striscia del test. Se c'è positività ecco cambiare il colore del reagente.

Gli altri test di presunzione sono quello alla fluoresceina e, soprattutto, quello con il Luminol.

L'uso del Luminol, o 3-aminoftalidrazide, non è certo una novità nel settore delle scienze forensi, se è vero che i primi studi sulla sua applicazione risalgono al 1913. Il principio su cui si basa è ancora l'attività di catalizzatore del gruppo eme contenuto nell'emoglobina, che in presenza di un agente ossidante fa sì che il Luminol produca una fugace luminescenza blu elettrico, visibile al buio. Basta quindi spruzzare una miscela di Luminol e ossidante in soluzione acquosa nell'area in cui si sospetta ci siano delle tracce di sangue non fresco. E naturalmente armarsi di macchina fotografica, perché la reazione dopo qualche tempo scompare.

Il grande vantaggio di questa tecnica è la sua sensibilità. Ci sono studi che affermano che è in grado di evidenziare il sangue in diluizioni di 1 a 5.000.000. Ma è anche questa una tecnica che va gestita da esperti, che sappiano metter in conto i falsi risultati positivi e, per future indagini, le possibili alterazioni che può indurre nei campioni trattati. Un tema, questo, sul quale il mondo scientifico non ha ancora espresso un parere definitivo.

Dai gruppi sanguigni al DNA

Una volta riconosciuta la presenza di sangue sulla scena di un crimine e prima che l'esame del DNA rivoluzionasse le investigazioni scientifiche, attribuire una determinata traccia a un determinato soggetto dipendeva dalla capacità di identificare i diversi gruppi sanguigni.

Karl Landsteiner, un biologo austriaco, è il primo a scoprire l'importanza dei gruppi A, B, 0 e a consentire un enorme progresso nella medicina, se si pensa che le trasfusioni di sangue tentate alla fine del 1900 non conoscevano il rischio di una reazione tra antigeni e anticorpi, e perciò portavano spesso alla morte del paziente. Successivamente, nel 1941 lo stesso Landsteiner con Alexander Wiener scopre un altro antigene, che chiama fattore Rh, e negli anni seguenti si identificano sistemi sempre più particolari, sempre più complessi.

Fino al 1984, anno in cui Alec Jeffreys dell'Università di Leicester inizia per primo a parlare di DNA *fingerprint*, di impronta genetica, i gruppi sanguigni sono stati essenziali per identificare, accusare o scagionare.

E la storia di Johnny Ross ne è un esempio classico.

Siamo a New Orleans, nel 1975, e Johnny Ross ha sedici anni quando viene fermato dalla polizia con un'accusa pesantissima per lui, ragazzo di colore in un Stato del Sud. Ha violentato una donna, una donna bianca.

Lo portano in cella e lo picchiano, fino a che non confessa. E in fondo non gli va male, visto che ancora negli anni Sessanta molti casi come il suo non arrivavano nemmeno al processo, ma si risolvevano più sbrigativamente con un linciaggio.

Con una confessione estorta tra le mani, il procuratore distrettuale non impiega molto a ottenere una sentenza di morte e tutto ormai sembra risolto.

Ma Johnny Ross non ci sta, e dalla sua cella continua a dichiararsi innocente, fino a quando, a occuparsi del suo caso, interviene il servizio di Assistenza legale per i poveri, diretto dall'avvocato dell'Alabama Morris Dees.

L'avvocato Dees è un uomo che si tiene al passo con i tempi, sa che si possono rilevare i gruppi sanguigni anche dal liquido seminale, e chiede che una traccia lasciata dallo stupratore sia confrontata con il sangue prelevato al suo cliente.

Un test forse primitivo, se paragonato alle meraviglie del DNA, ma sufficiente per escludere ogni responsabilità di Johnny nella violenza sessuale.

Il ragazzo, diventato uomo in carcere, può lasciare il braccio della morte, il luogo dove ha atteso e sperato per sei lunghissimi anni.

La vera rivoluzione nell'esame delle tracce biologiche sulla scena del crimine avviene con il DNA, l'acido desossiribonucleico, presente nei cromosomi di tutte le cellule e portatore dell'informazione genetica. Viene scoperto nel 1953 grazie al biologo inglese Francis Crick e al biochimico statunitense James Watson, che per questo meritano il premio Nobel, anche se in realtà sembra che i due ricercatori non ci sarebbero mai arrivati senza approfittare dei lavori di Rosalind Franklin, una brillante studiosa che morirà pochi anni dopo e il cui ruolo, sino a oggi, è stato poco considerato.

Il DNA è una molecola di grandi dimensioni e complessità, formata dalla combinazione di unità più semplici, i nucleotidi, e strutturata in due filamenti avvolti a spirale l'uno intorno all'altro. Nella successione dei nucleotidi sono scritte, in forma codificata, tutte le informazioni necessarie per lo svolgimento delle attività biologiche delle cellule e, quindi, degli esseri viventi.

I nucleotidi sono a loro volta formati da tre componenti: uno zucchero a cinque atomi di carbonio (il desossiribosio), una base azotata (adenina, guanina, citosina o timina) e infine un gruppo fosfato P che lega tra di loro le unità di zucchero e forma l'impalcatura della catena. Le due eliche sono appaiate tramite deboli legami chimici tra le adenine di un'elica e le timine dell'altra (A-T) e tra le guanine di un'elica e le citosine dell'altra (G-C). Le basi azotate si trovano al centro della doppia elica, mentre all'esterno rimane uno scheletro di zuccheri e gruppo fosfato.

Questa particolare struttura permette al DNA di replicarsi semplicemente. Infatti le due eliche si separano gradualmente e sul modello di ciascuna si costruisce specularmente l'altra.

Dai lavori di Watson e Crick dovranno passare circa trent'anni prima che Alec Jeffreys, professore di Genetica all'Università di Leicester, intuisca le potenzialità del DNA nella identificazione personale.

Sono le nove di una mattina di lunedì, il 10 settembre 1984, quando lo scienziato inglese ottiene la prima impronta genetica e, citando le sue parole, «non erano ancora le dieci che correvamo per il laboratorio pensando a tutte le possibili applicazioni».

Nell'arco di sei mesi le DNA *fingerprints* sono utilizzate per l'attribuzione di paternità in un caso controverso, e nel 1986 fanno il loro ingresso in un'aula di tribunale per scagionare il principale sospettato di due casi di stupro e omicidio e incastrare il vero colpevole.

Da allora la genetica forense è prepotentemente entrata nelle aule dei tribunali.

Si chiama Innocent Project, «Progetto innocente», e forse il più importante è gestito dalla Scuola di Legge Benjamin Cardozo di New York.

Lo hanno voluto gli avvocati Barry Sheck e Peter Neufeld nel 1992, con lo scopo di offrire un sostegno legale gratuito a tutti quei detenuti che dichiarano la propria innocenza e chiedono di poterla dimostrare con un esame del DNA.

Ma i sostenitori del progetto, una volta accettato il caso, non si limitano alla difesa del loro nuovo cliente, e combattono affinché sia introdotto nella legislazione di tutti gli Stati d'America l'obbligo al risarcimento per i cittadini ingiustamente incarcerati.

Al dicembre del 2004 sono centosessantaquattro i detenuti scagionati grazie all'Innocent Project e alla prova del DNA.

Un successo che stempera, ma solo un poco, le parole di Barry Sheck: «Si hanno migliori possibilità di ottenere giustizia in America se si è ricchi e colpevoli che non se si è poveri e innocenti».

L'impiego del DNA per provare l'identità personale si basa su un principio biologico: ognuno di noi è diverso dall'altro, il DNA è unico, con la sola eccezione del gemello identico, quando la natura effettua una specie di «clonazione» e produce due individui geneticamente uguali.

Nel genoma umano è possibile ritrovare una percentuale, circa il 30 per cento, formata da sequenze di DNA che si ripetono più volte. Di lunghezza variabile, e diverse da persona a persona, queste sequenze generano quello che si chiama un polimorfismo. In particolare, per le indagini forensi, si utilizza una classe particolare di polimorfismi, chiamati microsatelliti, o, in lingua inglese, STR, Short Tandem Repeat, ripetizioni in tandem di brevi sequenze di basi.

Ma queste scoperte non avrebbero portato a nessun risultato senza lo sviluppo della tecnica della PCR, o Polymerase Chain Reaction.

Utilizzando un enzima, la polimerasi appunto, è possibile amplificare quelle regioni chiamate microsatelliti fino a un milione di volte, e così si può analizzare una traccia biologica di dimensioni infinitesimali, anche dell'ordine del miliardesimo di grammo.

I frammenti di DNA amplificati sono poi separati per dimensione, e il risultato che si ottiene viene rappresentato da un codice a barre, che permette un confronto, una so-vrapposizione oppure una incompatibilità di profilo tra i campioni esaminati.

Un accenno lo merita anche un particolare tipo di DNA, quello mitocondriale, contenuto appunto nei mitocondri della cellula e non nel nucleo. La sua analisi consente di ottenere ottimi risultati in antichi frammenti ossei, capelli e peli senza radice, in situazioni in cui la materia da esa-minare sia scarsa e degradata. Sempre ricordando che questo tipo di DNA non è personale, ma è ereditabile esclu-sivamente dalla madre.

La prova del DNA è una grande risorsa per un innocen-te, e un grosso guaio per un colpevole, perché per lui è più facile giustificare la presenza in una determinata sce-na del crimine delle proprie impronte digitali che spiega-re come mai lì siano finite le sue tracce di sangue o di li-quido seminale.

E questo vale anche in quei casi che si chiamano *cold ca-ses*, i «casi freddi», storie di omicidi contenuti in fascicoli su cui, con il passare del tempo, si accumula la polvere ma che non si possono e non si devono mai archiviare.

Sono passati vent'anni dalla sua ultima vittima, e sem-bra ormai che la storia del Green River Killer sia destinata a restare un eterno mistero, come quello di Jack lo Squar-tatore, o del Killer dello Zodiaco.

Almeno fino al giugno del 2001, quando lo sceriffo di King County, Dave Reichert, annuncia la ripresa delle in-dagini a partire dall'esame di poche cellule ritrovate sul tessuto che l'assassino ha usato per strangolare alcune delle vittime.

La speranza è che, insieme al profilo genetico delle don-ne, si possa trovare quello dell'assassino.

Si analizzano anche le tracce di liquido seminale rinve-nute nei corpi di tre delle donne uccise, e il DNA è confrontato con quello di numerosi sospettati, soprattutto quelli noti nello Stato di Washington per reati sessuali.

Nell'ottobre il laboratorio consegna agli investigatori tre stampate. Riguardano i profili di due vittime assassinate nel 1982, Marcia Chapman e Opal Mills, e un terzo estratto da un campione di saliva che la polizia ha raccolto da un uomo, nel 1987.

Il suo nome è Gary Leon Ridgway.

È lui l'assassino, il Green River Killer, un soprannome che gli viene dal luogo dove si è liberato dei corpi della maggior parte delle sue vittime, quarantotto donne, quasi tutte prostitute, uccise dal luglio 1982 all'agosto 1998.

Ha patteggiato per evitare la pena capitale, e questo è il suo racconto:

> Lo Stato di Washington contro Gary Leon Ridgway. Procedimento n. 01.01.10270.9 Sea. Dichiarazione di colpevolezza dell'imputato.
>
> Il mio vero nome è Gary Leon Ridgway.
>
> Ho cinquantaquattro anni e la mia data di nascita è il 18 febbraio 1949.
>
> Sono stato informato e ho pienamente compreso che: ho il diritto di essere difeso da un avvocato e, qualora non avessi i mezzi per pagare il suo onorario, me ne verrà affiancato uno senza alcuna spesa. Sono rappresentato in questo procedimento dai miei avvocati Tony Savane, Mark W. Prothero, Todd Gruenhagen, Eric Lindell, Dave Roberson, Michelle Shaw, Fred Leatherman e Suzanne Lee Elio. Sono accusato di quarantotto omicidi aggravati di primo grado...
>
> Questa mia dichiarazione di colpevolezza è stata fatta in libertà e volontà...
>
> Ho ucciso le quarantotto donne elencate nella lista dell'informazione di garanzia ricevuta. Nella maggior parte dei casi, quando ho ucciso queste donne, io non conoscevo i loro nomi. La maggior parte delle volte le ho uccise la prima volta che le ho incontrate e non ho buona memoria per le facce. Ho ucciso così tante donne che fatico a ricordarle tutte con ordine.
>
> Ho rivisto ogni informazione sui delitti con i miei avvocati e confermo di avere ucciso ciascuna delle donne elencate nell'infor-

mazione di garanzia. Le ho uccise tutte nel territorio di King County. Ho ucciso la maggior parte di loro nella mia casa vicino a Military Road, e parecchie anche nel mio camion, non lontano da dove le avevo raccolte. Ne ho uccise alcune all'aperto. Ricordo di avere lasciato i cadaveri nei luoghi dove sono stati ritrovati.

Ho discusso con i miei avvocati la circostanza aggravante di avere avuto «un piano o uno schema comune» negli omicidi di cui sono accusato. Sono d'accordo che ciascuno degli omicidi che ho commesso era parte di «un piano o schema comune». Il piano era: volevo uccidere il maggior numero possibile di donne che pensavo fossero prostitute.

Ho scelto le prostitute come vittime perché io odio più di ogni cosa le prostitute e non volevo pagare per avere rapporti sessuali. Ho scelto le prostitute anche perché era facile caricarle senza essere notati. Sapevo che la loro scomparsa non sarebbe stata notata subito e avrebbe potuto non essere mai notata. Pensavo che avrei potuto ucciderne quante ne volevo senza essere mai catturato. Un'altra parte del mio schema riguardava dove sistemare i corpi di queste donne.

La maggior parte delle volte prendevo i loro gioielli e i loro abiti per eliminare ogni traccia e rendere più difficile l'identificazione. Ho raccolto la maggior parte dei corpi in grappoli che ho chiamato *clusters*.

L'ho fatto perché volevo conservare una traccia di tutte le donne che ho ucciso. Mi piaceva guidare il camion vicino ai *clusters* attraverso la contea e pensare alle donne che erano sepolte lì. Di solito usavo un punto di riferimento per ricordarmi il *cluster* e le donne che vi avevo sistemato. Qualche volta uccidevo una donna e ne scaricavo il cadavere, con l'idea di creare un nuovo *cluster*, e poi non ci tornavo più perché pensavo che avrei potuto essere catturato se vi avessi sistemato altre donne. Le mie dichiarazioni per ciascun capo d'accusa sono le seguenti.

Capo d'imputazione n. 1: nel territorio di King County, Washington, nel periodo compreso tra l'8 e il 15 luglio 1982, con l'intento premeditato di uccidere, ho strangolato a morte Wendy Lee Coffield. L'ho raccolta avendo pianificato di ucciderla. Dopo averla ammazzata, ne ho gettato il corpo nel Green River.

Capo d'imputazione n. 2... n. 3... n. 4... n. 48.

Gary Leon Ridgway nasce e cresce in una famiglia tutto sommato normale, un bambino e poi un ragazzo con un carattere schivo, ma niente di più.

Presto però mostra un interesse morboso per il sesso e le prostitute. Due anni di ferma in marina, quindi, all'inizio degli anni Settanta, si sposa una prima volta. Il matrimonio dura poco e, nel '75, convola a nozze una seconda volta e ha un bimbo.

Marcia, la seconda moglie, nota nel marito comportamenti strani, pratiche sessuali insolite. Ma non basta. Dopo la nascita del figlio, Ridgway si interessa di religione, forse sarebbe meglio dire che cade nell'esaltazione, nel fanatismo, prima nell'ambito della Chiesa Battista, poi in quella Pentecostale. I colleghi lo ricordano a quei tempi come un tipo strano, sempre con una Bibbia in mano a insistere nel voler combinare appuntamenti a tutti con prostitute.

Si separa nel 1982 per sposarsi una terza volta con una donna definita bella e sconcertante, una donna totalmente soggiogata dal marito.

Ridgway inizia a uccidere proprio in quell'anno.

E non smette più.

La sua storia di assassino è anche la storia di una delle indagini più complesse e difficili nel campo delle investigazioni criminali. Quando vengono scoperti i primi cadaveri persino il celebre serial killer Ted Bundy offre il suo aiuto per catturare il «collega» e, dal braccio della morte in cui è ospite, chiede di parlare con Robert Keppel, il detective che ha svolto un ruolo determinante nella sua cattura.

Il suo tuttavia si rivela uno dei tanti tentativi per ritardare l'esecuzione della condanna a morte.

Nel luglio del 1991 la task force è ridotta a un solo investigatore, Tom Jensen. Nove anni di indagini e quindici milioni di dollari senza risultati trasformano il Green River Killer nel più importante caso di omicidio seriale irrisolto.

La situazione rimane congelata per dieci anni, fino a

quando il detective Dave Reichert decide di riaprire le indagini e affidarsi ai laboratori di scienze forensi e all'analisi del DNA.

Il caso Ridgway è l'esempio lampante di come le nuove scoperte della scienza possano aiutare a risolvere casi che sembravano dimenticati. E anche di come le tracce devono essere sempre raccolte correttamente con un buon sopralluogo, perché ciò che oggi non siamo in grado di analizzare probabilmente domani si rivelerà determinante.

Ma non ci sono solo i *cold cases*.

Ci sono anche quei casi, magari famosi, che non hanno mai convinto fino in fondo, in cui un colpevole è stato trovato e ha anche confessato i suoi crimini. Ma forse la verità bisogna ancora scoprirla.

Tra il giugno del 1962 e il luglio del 1964 per le strade di Boston si aggira un predatore letale. Undici donne vengono aggredite nelle loro abitazioni, violentate e poi strangolate.

La soluzione dei delitti arriva inaspettata nel novembre del 1964 quando un uomo di trentatré anni, Albert De Salvo, incarcerato per violenza sessuale, confessa di essere l'autore degli omicidi: è lui l'ormai famigerato Strangolatore di Boston.

De Salvo racconta addirittura di altre due vittime che la polizia non aveva collegato al serial killer, ma prima che i fatti vengano dimostrati in un processo, l'uomo viene assassinato in carcere e il caso è dichiarato «chiuso».

Ma la parola *solved* stampata sul fascicolo di De Salvo non ha mai convinto sino in fondo. C'è chi fa notare le differenze nel *modus operandi* tra un delitto e l'altro, e poi compare un informatore, uno della criminalità organizzata, che dice che De Salvo era stato pagato per confessare al posto del vero assassino.

Nell'inverno del 2001 il caso si riapre, c'è la tecnica del DNA, e forse si può fare chiarezza sugli omicidi. Si riesuma il cadavere dell'uomo, e contemporaneamente quello di Mary Sullivan, diciannove anni, l'ultima vittima.

A condurre le investigazioni è un docente di Legge e Scienze forensi della George Washington University, il professor James Starrs, che il 6 dicembre del 2001 dichiara di avere trovato sul corpo e sui vestiti di Mary tracce di DNA appartenenti a due diversi soggetti, nessuno dei quali è Albert De Salvo. Secondo Starrs questa sarebbe la prova dell'estraneità ai delitti di De Salvo, che sarebbe stato perciò un impostore, una sorta di mitomane.

Ma a questa tesi non crede Julian Soshnick, al tempo procuratore nella causa contro lo Strangolatore di Boston. Per lui le affermazioni dello scienziato forense dimostrano solamente che si sono trovate altre tracce sul corpo di una vittima, senza che questo escluda la responsabilità di De Salvo.

Ma Starrs è convinto. Uno dei due profili del DNA recuperati è certamente quello dell'assassino.

Sfortunatamente non è in grado di rispondere a una domanda: a chi appartiene, allora?

Come nel caso delle impronte digitali, non basta la conoscenza delle caratteristiche del DNA, la corretta raccolta di un campione di sangue sulla scena di un crimine, o la competenza nelle procedure di laboratorio per esaminarlo, se non si possiede poi una banca dati per il confronto.

Per questo scopo gli Stati Uniti e altri paesi hanno studiato un database criminalistico del DNA, un software chiamato CODIS, il Combined DNA Indexing System.

Nelle nazioni che adottano il sistema, quando si arresta un sospetto, oltre a prendergli le impronte digitali, si raccoglie un suo campione di saliva con uno spazzolino e lo si usa per estrarre il profilo genetico.

L'utilizzo del CODIS prevede poi l'inserimento di un profilo di DNA da parte di due operatori distinti in tempi diversi, il check dei dati automatico da parte del software e la successiva trasmissione dell'informazione nel database da parte di un terzo operatore che verifica ancora una volta i dati. Il vantaggio di questo sistema è che non è possibile ricavare nessuna informazione genetica sull'individuo, oltre al sesso, per cui non esiste il rischio di violazione del principio della privacy.

In Italia, mentre è attiva la banca dati per le impronte digitali, l'AFIS, ancora non esiste un archivio nazionale del DNA per finalità di giustizia, ma l'esigenza è forte e ci sono numerose proposte di legge in discussione.

Ma attenzione al rischio di falsi positivi. Innanzitutto occorre un accordo sulla quantità di informazione genetica necessaria per escludere che due soggetti presentino lo stesso profilo del DNA. Attualmente lo standard adottato prevede l'utilizzo di tredici regioni STR ben precise, un numero sufficiente in relazione alla loro grande variabilità nella popolazione.

Ma già nel nostro paese ci si è attrezzati perché il profilo possa poggiare sul confronto di ben sedici regioni.

Il 19 agosto del 2002, nella pineta tra Quercianella e Castiglioncello, non lontano da Livorno, viene uccisa Annalisa Vicentini.

Ventiquattro anni, la giovane donna è in compagnia dell'amico Stefano Poli, quando è aggredita, probabilmente per una rapina. Annalisa è raggiunta da un colpo di pistola, mentre Stefano, pur ferito, riesce a lottare e costringere alla fuga l'assassino.

Sulla scena il killer lascia un paio di occhiali e un ciondolo, tracce di sangue per le ferite riportate nella colluttazione, capelli, e poi il sudore sul calcio della pistola e sul silenziatore dell'arma con cui ha sparato.

Materiale più che sufficiente da repertare e avviare ai laboratori di Biologia del RACIS di Roma, il Raggruppamento carabinieri investigazioni scientifiche, dove si ottiene il profilo del DNA dell'aggressore.

In particolare si selezionano le tredici regioni della doppia elica utili per un'identificazione certa.

È uno degli esperti della scientifica dei carabinieri, il capitano Giampietro Lago, a spiegare il perché in un'intervista raccolta dall'ANSA: «Queste regioni sono state scelte perché hanno due vantaggi: oltre a variare in modo inequivocabile da persona a persona, sono tanto piccole da conservarsi integre per le analisi. Se c'è una sovrapponibilità fra tutte e tredici, tra quelle di un sospettato e quelle delle tracce biologiche trovate su un luogo del delitto, si ha la prova regina di un processo. Le corti le considerano sufficientemente certe per emettere una condanna. Sempre che il sospettato non abbia un gemello omozigote, unico caso in cui i DNA sono identici. E sempre che le tracce siano, con certezza, legate al delitto».

A questo punto le conclusioni del RACIS vengono inviate alle polizie degli altri paesi per un controllo e un confronto con i dati contenuti nei loro archivi.

È la Gran Bretagna a segnalare di avere un *match*, una corrispondenza positiva. Si tratta di un barista di Liverpool con piccoli precedenti penali, e il suo nome è Peter Neil Hamkin. L'uomo viene immediatamente fermato, ma presto sorgono dei dubbi, soprattutto perché si fanno avanti decine di clienti del pub in cui lavora a fornire all'uomo un alibi apparentemente inattaccabile.

In un primo momento è più facile credere all'oggettività del laboratorio che alle testimonianze, magari offuscate dalla birra o dal desiderio di difendere un concittadino.

Ma poi le accuse cadono, Hamkin viene liberato, la polizia inglese sembra essere in imbarazzo e il governo si vede intentare una causa con una richiesta di risarcimento per i danni morali e materiali subiti dal barista di Liverpool.

Un caso che sembra mettere in crisi la validità dell'impronta genetica. Oppure c'è stato un errore umano nella raccolta dei reperti, nella loro conservazione, nelle procedure di analisi.

Nulla di tutto questo.

È capitata, a quanto sembra, un'incredibile svista, una perdita di informazione nel processo di trasmissione dei dati. Delle tredici regioni identificate dai laboratori della scientifica dei carabinieri, ne sono state estrapolate e utilizzate sei o sette, e questa informazione è stata inserita nell'archivio computerizzato.

Naturalmente con un numero di caratteristiche inferiori è diminuito il potere di discriminazione della prova, con il risultato di una corrispondenza con il barista inglese.

A questo punto sarebbe stato sufficiente prendere un campione di sangue, stabilire un profilo genetico completo di Peter Hamkin e confrontarlo con i dati provenienti dall'Italia.

Ma il controllo è arrivato solo dopo l'arresto.

III

Impronte

Il caso di Baby Lindbergh

C'è un'auto che sta percorrendo una strada fangosa e deserta del New Jersey. Sono le tre e un quarto di un pomeriggio piovoso. È il 12 maggio 1932.

Dentro l'auto sono seduti due uomini. Uno dei due chiede all'altro di fermarsi perché deve orinare. Sono in cima alla collina, in un punto isolato; l'auto si ferma e l'uomo scende. Si inoltra per una ventina di metri nel bosco fitto e umido, sceglie un albero e ci si avvicina. A quel punto abbassa lo sguardo e vede qualcosa.

Tra il fango e le foglie nerastre gli sembra di notare un piccolo teschio. E non c'è solo quello, c'è anche un piede che spunta dalla terra, piccolo, come quello di un bambino. È il corpo di un bambino.

In poco tempo la polizia è sul luogo del ritrovamento. Vicino c'è un sacco di tela grezza, sporco di sangue. Gli agenti osservano bene il corpo e notano che ne mancano delle parti, la gamba e il braccio sinistro, la mano destra. Gran parte delle viscere sono state divorate dagli animali. Però ci sono ancora i capelli biondi e ricci.

Gli agenti alzano lo sguardo verso Hopewell, il paese a pochi chilometri di distanza, e hanno un brivido. Quel bambino è sicuramente il bambino dei Lindbergh, che abitano là. Charles Lindbergh Junior, cercato da settanta-due giorni dalle forze di polizia d'America impegnate nella più grande caccia all'uomo di tutti i tempi. Impegnate nella caccia dei suoi rapitori.

«Baby Lindbergh», così hanno ribattezzato il piccolo gli americani, era scomparso dalla sera del 1° marzo 1932. Anche quella sera piove e fa molto freddo. A casa Lindbergh è tutto tranquillo, il piccolo ha solo avuto un po' di raffreddore il giorno prima, tossisce ancora ma sta bene. La bambinaia, Betty Gow, lo ha messo a letto aiutata dalla madre del bimbo, Anne Morrow Lindbergh. Ha fissato le coperte al materasso con due spille e ha cercato di chiudere la finestra d'angolo. Hanno provato in due ma non ci sono riuscite: le imposte, deformate dall'umidità, sono rimaste socchiuse. Anne va ad aspettare il marito per la cena, Charles le ha telefonato che fa un po' tardi, è al Rockfeller Institute a fare esperimenti, deve scriverne un articolo per la rivista «Science».

Betty rimane ancora un po' nella stanza. Prima di uscire, socchiude anche la finestra a sud, spegne la luce e va a lavare i panni del bambino. Il fidanzato la chiama e parlano un po' al telefono. Poi scende a sbrigare alcune faccende e ad ascoltare la radio insieme agli altri domestici.

Anne intanto è nel soggiorno a scrivere. È al quarto mese di gravidanza, aspetta il marito, le sembra di sentire il rumore di un'auto, ma fuori soffia un vento tempestoso, potrebbe essersi sbagliata. La temperatura è vicina allo zero. Piove. Anne torna a scrivere. Charles Lindbergh arriva un quarto d'ora dopo, alle venti e venticinque. Si lava le mani e si mette a tavola con la moglie. Terminata la cena si siedono davanti al camino in soggiorno.

Poco dopo le nove è Charles a sentire un rumore, ma forse è una scatola che è caduta in cucina.

Charles fa la doccia, si riveste e scende in biblioteca.

Anche Anne fa la doccia e si infila il pigiama, poi chiede una limonata calda alla servitù.

Manca poco alle dieci.

Betty entra nella stanza del bambino, chiude la portafinestra e accende la stufa. Si ferma un momento ad ascoltare. È strano, non sente il respiro del piccolo Charlie. Si avvicina alla culla, nella penombra. Forse il bambino ha il viso sotto la coperta, ma la bambinaia non lo vede. Tasta con le mani tutto il lettino.

No, il bambino non c'è.

Betty corre verso la camera dei Lindbergh, incontra Anne. «È con lei il bambino, signora?»

Anne è stupita, risponde di no. Betty corre lungo le scale mentre Anne entra nella camera del bimbo. Charles è in biblioteca, «è con lei il bambino, la prego, non mi faccia scherzi».

«Il bambino? Non è nel suo lettino?»

Betty non fa in tempo a rispondere, Lindbergh balza in piedi e va verso la *nursery*, dà un'occhiata alle coperte. Si dirige verso camera sua, passa davanti alla moglie che gli chiede «è con te il bambino?». Non risponde. Apre l'armadio della camera e prende il fucile, lo carica. Torna nella *nursery* seguito da Anne e Betty.

«Anne» dice alla moglie guardandola negli occhi «hanno portato via il nostro bambino.»

Il 1° marzo 1932 Baby Lindbergh non ha che venti mesi. Il padre è un grande eroe. È il colonnello Charles Lindbergh, «Lindy», «l'Aquila Solitaria», come lo ha soprannominato la gente. Il piccolo Charlie, Charles Augustus Lindbergh Junior, lo chiamano «l'Aquilotto».

A soli venticinque anni il colonnello Lindbergh ha attraversato l'oceano volando quasi a contatto con le enormi onde atlantiche. In circa trentaquattro ore ha compiuto, senza scalo e da solo, la prima trasvolata atlantica. A bordo dello *Spirit of Saint Louis*, un aereo costruito appositamente per quel volo. Un aereo speciale, un velivolo di tela e di legno.

Nella stanza del figlio il colonnello Lindbergh nota che una finestra ha le imposte aperte e che sul suo davanzale c'è una lettera. Intuendo che si tratti della richiesta del riscatto, Lindbergh mantiene il controllo e non la tocca nemmeno. Fa chiamare la polizia, in casa sua viene organizzata un vera e propria stazione, con il quartier generale nel garage.

Alle ventidue e quarantasei l'allarme corre sulle telescriventi di tutto lo Stato. Si organizzano i primi posti di blocco. La reazione del governo è incredibile. Si mette in moto la più grande caccia all'uomo mai vista prima di allora. Viene offerta la più completa collaborazione di tutte le agenzie investigative del governo federale, collaborano l'FBI, i servizi segreti, gli agenti del fisco e il servizio ispettivo postale. Le dogane e l'ufficio immigrazione. La guardia costiera, il dipartimento del commercio. Il sottosegretario alla Guerra per l'aviazione mette a disposizione di Lindbergh l'intera aeronautica militare. Il Congresso presenta un disegno di legge che classifica i rapimenti come crimini federali punibili con la morte.

Arriva anche Schwarzkopf, capo della polizia del New Jersey. È il padre dello Schwarzkopf che anni dopo diventerà famoso come responsabile delle forze armate in Iraq e Kuwait durante la Prima guerra del Golfo. La polizia del New Jersey è stata istituita da poco tempo e non ha l'esperienza sufficiente per affrontare un caso di rapimento.

Lindbergh sente la necessità di dirigere le ricerche e tutti sono sopraffatti dalla figura del loro eroe. L'universo intero sembra ruotare attorno a lui, come cinque anni prima per la trasvolata.

Viene aperta la lettera trovata sul davanzale. È piena di errori grammaticali. I rapitori chiedono di tenere pronti cinquantamila dollari e di non avvisare la polizia. Il segnale di riconoscimento di tutte le lettere sarà una firma particolare, un simbolo composto da due cerchi blu intrecciati tra loro al cui interno compare un altro cerchio rosso più piccolo. Un modo che i rapitori hanno scelto per farsi riconoscere. Un codice. I rapitori, invece di scrivere *signature*, che in inglese significa «firma», scrivono *singnature*. È un particolare importante.

Nella stanza non ci sono impronte digitali. All'esterno vengono rilevate alcune impronte, quelle di una scarpa e di una scala. A pochi metri di distanza si scoprono uno scalpello da tre quarti di pollice e una scala, costruita a mano, separata in tre segmenti di poco più di due metri l'uno, ma facilmente componibile a incastro, per un'altezza totale di sei metri. È l'opera di qualcuno che se ne intende.

La scala però è rotta nella parte centrale. Probabilmente si è spaccata lungo una venatura mentre uno dei rapitori scendeva con il bambino. I due potrebbero essere caduti da un'altezza di un metro e mezzo.

È chiaro che il crimine è stato progettato da tempo e studiato nei dettagli. Si pensa subito a un gruppo di rapitori anche se il dottor Schoenfield, uno psichiatra di New York, partendo dall'esame della scena del crimine e dalla richiesta di riscatto elabora un profilo psicologico completamente diverso. Per lui si tratterebbe di una sola persona, un immigrato tedesco che vive nella comunità germanica del Bronx, un uomo dotato di un certo talento per la meccanica, con grande fiducia in se stesso ma pochissima nel suo prossimo.

C'è anche un testimone, un vicino di casa che riferisce di avere visto un'auto, una Dodge, dalla quale sporgeva una scala. Nell'auto c'era un uomo con un cappotto nero e un cappello di feltro.

Lindbergh ritiene sia importante comunicare con i rapitori. Informa la stampa che la famiglia è disposta a pagare il riscatto. Cominciano ad arrivare subito migliaia di richieste di riscatto, false. Siamo nel periodo della Grande Depressione, i rapimenti sono diventati una delle industrie più redditizie della criminalità organizzata. Soltanto a Chicago ne sono stati denunciati quattrocento in due anni.

Tre giorni dopo arriva il secondo vero messaggio. Ha la firma con il sigillo segreto, i tre cerchi.

È scritto in un inglese scorretto, pieno di errori, e minaccia i genitori perché hanno avvisato la polizia.

Bisogna rimandare le trattative. Bisogna far calmare le acque. I rapitori assicurano però che il bambino sta bene ed è loro intenzione restituirlo sano e salvo.

Lindbergh fa pubblicare un annuncio in cui dice che i rapitori possono inviare qualsiasi intermediario a loro discrezione e in qualsiasi momento e luogo. Sono in molti ad approfittarne e a presentarsi come probabili intermediari.

Uno di questi è Gaston Means. Dall'aspetto porcino, Gaston discende da un'illustre famiglia ma ha vissuto sempre ai margini della legalità. A Washington si presenta a una delle donne più ricche del mondo, la signora McLean, dicendo di avere notizie straordinarie sul rapimento. In cambio di centomila dollari può garantire la liberazione del bambino. Lindbergh dà il suo benestare a procedere.

A Norfolk, in Virginia, un tale di nome Curtis cerca in tutti i modi di arrivare a Lindbergh e ci riesce grazie a un reverendo cui racconta una storia strana. In un periodo di magra ha riparato la barca di un contrabbandiere di rum che gli avrebbe detto di essere in contatto con i rapitori. Il rapimento di Baby Lindbergh si è trasformato in una commedia grottesca.

La casa è assediata dalla polizia, tanto che la moglie può essere cacciata in ogni momento dalla sua stanza per una riunione degli inquirenti. Sulla proprietà dei Lindbergh si accalcano migliaia di curiosi intasando le strade del paese e affollando l'entrata della tenuta. Molti politici «fanno visita» ai Lindbergh solo con lo scopo di farsi pubblicità e farsi fotografare sotto la finestra del rapimento, accanto a una copia della scala che la polizia usa per la ricostruzione del delitto.

Tra i tanti personaggi curiosi, c'è l'ex preside e insegnante di matematica John F. Condon. Condon ha settantun anni, capelli e baffi bianchi. Basso e tarchiato come un tricheco, vanitoso e presuntuoso, è sicuramente un personaggio bizzarro. Di sua iniziativa si offre come intermediario e fa pubblicare un annuncio sul quotidiano locale del Bronx. Verga l'annuncio a mano, con la sua calligrafia svolazzante, con inchiostro rosso. Offre tutto ciò che possiede «affinché una madre amorosa possa riavere il suo bambino e il colonnello Lindbergh possa sapere che gli americani gli sono grati dell'onore che egli ha conferito loro con il suo coraggio e la sua audacia». Aggiunge anche mille dollari di tasca propria a quelli previsti per il riscatto.

Finalmente, i rapitori rispondono. Scrivono la solita lettera siglata dai tre cerchi e piena di errori grammaticali e rispondono proprio a John F. Condon.

All'interno della busta c'è un'altra lettera indirizzata a Lindbergh. Condon lo contatta e viene immediatamente convocato a Hopewell. Il colonnello gli consegna l'autorizzazione ad agire come suo emissario. Condon si fa dare anche le spille da balia che fermavano la coperta al materasso del bambino, vuole mostrarle ai rapitori per vedere se le riconoscono. Torna nel Bronx e comincia a pubblicare annunci sull'«American» di New York per mettersi in contatto coi rapitori. Utilizza lo pseudonimo «Jafsie» dall'acronimo delle sue iniziali. Poche ore dopo il primo annuncio, uno dei rapitori telefona a casa sua chiedendogli se ha ricevuto la lettera con la «firma». Ha un forte accento tedesco.

E sbaglia a dire firma, sbaglia a dire *signature*.

Pronuncia *singnature*.

L'uomo ordina a Condon di farsi trovare in casa per tutta la settimana. Il giorno dopo, alle venti e trenta, un tassista di nome Joseph Perrone consegna a Condon una lettera che gli è stata data da un signore con un cappotto e un cappello di feltro, entrambi marroni.

Un signore dal forte accento tedesco.

La lettera dice di cercare un altro messaggio. Sotto una pietra, vicino a un chiosco di panini, c'è un biglietto con altre istruzioni. Condon deve portare i soldi con sé. È sabato. E non è facile procurarsi i soldi. Ma Condon decide di andare lo stesso all'appuntamento.

Il secondo biglietto dice di proseguire lungo la parete di un cimitero, il St. Raymond. Arrivato al cancello principale, Condon viene chiamato da un uomo che si presenta come John. Condon gli dice che non può portare i soldi se prima non vede il bambino. John riconosce le spille da balia. Dice che lui non c'entra ma fa da intermediario. Che il bambino è su una «barca», e dice *boad* invece di *boat*. I due parlano per quasi un'ora. Condon lo osserva bene. È magro, alto un metro e ottanta, ha una bocca piccola e gli occhi grigio-azzurri. Indossa un cappotto scuro con un cappello a tese larghe.

Ha un forte accento tedesco.

I due si mettono d'accordo. Condon pubblicherà un annuncio quando saranno pronti i soldi e John spedirà una prova che il bambino è vivo. Poi si salutano.

Il 16 marzo Condon riceve un pacchetto con il pigiama del bambino. Nel pacco c'è un messaggio con i tre cerchi intrecciati.

Vengono preparate le banconote per il riscatto, come richiesto. Però si consiglia a Lindbergh di prendere una precauzione. Pagare con certificati aurei.

I certificati sono identici alla moneta normale tranne

che per un sigillo rotondo e giallo. Possono essere convertiti in oro in qualsiasi momento. Ma lo Stato li sta per ritirare dalla circolazione e quindi possono essere rintracciabili facilmente. Inoltre vengono trascritti i loro numeri di serie.

Lindbergh va insieme a Condon all'appuntamento con «John del cimitero», così è stato soprannominato l'intermediario della banda. La notte del 2 aprile, mentre il colonnello aspetta in auto, Condon e John si incontrano di nuovo nel piccolo cimitero di St. Raymond, nel Bronx. Condon consegna la somma e riceve una busta con l'istruzione di non aprirla. Non prima di sei ore.

Lindbergh riceve la busta e la apre. In fondo è stato Condon a promettere di non aprirla. Il bambino è su una barca, ma lo scrive male, *boad*, di nome *Nelly*. Vengono date istruzioni su dove trovarla, vicino Elisabeth Island.

Il colonnello inizia immediatamente le ricerche. Dalla mattina presto, assieme a Condon e un agente, sorvola più volte la zona indicata, senza trovare alcuna traccia dell'imbarcazione. Si attivano anche le lance della guardia costiera. Si osserva qualsiasi cosa galleggi.

A sera tardi i tre rientrano esausti. «Ci hanno giocato» dice Lindbergh.

Dopo l'insuccesso, la stampa ricostruisce le trattative segrete dei giorni precedenti. Jafsie esce dall'ombra e si fa intervistare, diventa famoso. La signora Mc Lean intuisce di essere stata truffata e richiede i suoi centomila dollari a Gaston Means che però dichiara di averli dati ai rapitori. Gaston Means viene fatto arrestare.

Intanto Curtis, l'uomo di Norfolk che aveva riparato la barca di un contrabbandiere, annuncia che il bambino è salvo. Ha incontrato John che vuole altri venticinquemila dollari per consegnarlo. Bisogna recarsi al largo con una barca e attendere che i rapitori si facciano vivi. Pur intuendo che Curtis è l'ennesimo impostore, Lindbergh lo accompagna per non lasciare nulla di intentato e insieme aspettano al largo.

Non succede niente.

Tornano indietro ma, mentre Curtis parte per Atlantic City, assicurandogli un altro appuntamento per la notte, Lindbergh rimane ad aspettarlo sulla barca per non affrontare i giornalisti appostati nei paraggi.

È solo sulla barca e sta aspettando che ritorni Curtis, quando il figlio viene ritrovato sulla collina.

I resti del bambino vengono identificati dalla balia Betty Gow che lo riconosce dagli indumenti, da una piccola malformazione alle dita di un piede e dalla fossetta sul mento, ancora visibile. La causa della morte viene attribuita a un grave trauma alla testa, forse riportato durante il rapimento, forse per la caduta dalla scala.

In ogni caso, al momento della trattativa il piccolo Charlie era già morto.

Lindbergh viene avvertito e torna a casa, dove arriva alle due di notte. Il giorno dopo vuol vedere suo figlio e decide di cremarne il corpo, perché una tomba diventerebbe un'attrazione turistica. Attorno alla sua tenuta gli ambulanti hanno già piantato i loro baracchini per sfamare i turisti accorsi alla notizia. La notte precedente un fotografo è riuscito a penetrare nell'obitorio e a fotografare il corpo del bambino.

Vende le copie a cinque dollari l'una.

Curtis confessa di essersi inventato tutto ed è condannato a un anno di prigione per aver ostacolato la giustizia.

Anne Lindbergh partorisce Jon, il suo secondogenito, il 15 agosto. Ma lei e il marito non riescono più a vivere tranquilli. Basta che abbaino i cani per rimanere svegli fino all'alba. Una notte un matto si affaccia alla finestra della camera della bambinaia. Ricevono decine di lettere che minacciano la vita di Jon.

Decidono di partire. Restano lontano dalla loro casa

sempre più a lungo, sempre più spesso. Ma ogni volta che atterrano con il loro aereo sono accolti da grandi folle che li salutano. Sorvolano la Groenlandia dove si liberano del peso della notorietà per ventiquattro giorni. Arrivati a Parigi ripiombano tra gli assalti dei fanatici. In piena giungla, in Brasile, davanti a una fabbrica di gomma, un americano li accoglie dicendo loro che è stato il primo, da quelle parti, a sapere del rapimento Lindbergh.

Il rapimento Lindbergh. È un incubo. Tornati a casa il colonnello e sua moglie si trasferiscono in città, a New York. Ci rimangono qualche mese, poi li riprende l'inquietudine e decidono di partire per un altro viaggio.

Intanto succede qualcosa.

Il 19 settembre 1934, dopo più di due anni e mezzo dal rapimento, la polizia arresta un tedesco, Bruno Richard Hauptmann.

Ha speso un certificato aureo di dieci dollari. Il benzinaio che lo ha incassato, pensando che fosse falso, ha scritto il numero di targa del cliente sulla banconota e l'ha portata in banca. È facile risalire all'abitazione di Hauptmann dove si ritrovano altri soldi segnati. Viene recuperata gran parte del bottino.

Il tedesco dichiara che quanto trovato appartiene a Isidor Fish, un amico che gli ha affidato il denaro prima di tornare in Germania. Hauptmann vanta un credito con lui e quindi non ha trovato strano spendere alcuni di quei soldi.

Purtroppo Fish non può avvalorare quella tesi: è morto di tubercolosi. E la moglie in Europa dice di non sapere nulla di quei soldi.

In casa Hauptmann l'ambiente è umile ma i mobili sono costosi. Il tedesco dichiara di fare il carpentiere ma di avere lasciato il lavoro grazie a un colpo di fortuna in borsa.

Hauptmann ha gli occhi azzurri, l'accento tedesco, possiede una Dodge, abita nel Bronx a pochi minuti dal cimitero di St. Raymond e dall'abitazione di Condon.

La polizia vuole una confessione. Il rapimento Lindbergh è un caso grosso, che può giustificare qualunque cosa. Hauptmann viene picchiato, preso a calci e colpito con un martello sulle spalle, sulle braccia, sulla testa.

Hauptmann continua a dichiararsi innocente.

Ci vogliono prove. Dopo numerose indagini e perquisizioni la polizia scopre che dalla sua cassetta degli attrezzi manca proprio uno scalpello da tre quarti di pollice. Viene trovato un taccuino che riporta lo schizzo per la costruzione di una scala simile a quella usata per il rapimento. All'interno della porta di un armadio sono scritti l'indirizzo e il numero di telefono di Condon. In un taccuino la parola *boat* è scritta *boad*.

Ancora. Hauptmann ha precedenti penali. Dalla Germania la polizia riferisce: furto e rapina a mano armata. In un'occasione è entrato in una casa salendo proprio con una scala a pioli. Ha compiuto furti anche in libertà vigilata. La polizia tedesca lo ha messo dentro, ma è evaso ed espatriato clandestinamente in America.

Hauptmann viene sottoposto a perizia calligrafica. Gli esperti di grafologia non hanno dubbi. È lui ad aver scritto i messaggi con le richieste di riscatto.

Ancora. Un esperto, Arthur Koehler, confronta il legno della scala con alcune travi della soffitta di casa Hauptmann: il legno è lo stesso. Coincidono anche i quattro fori rilevati sulla scala con i chiodi dei travetti della soffitta.

Sono prove inconfutabili. Altro che Isidor Fish. L'uomo del rapimento Lindbergh è Bruno Richard Hauptmann.

I Lindbergh rientrano in America. «Si ricomincia da capo» dice Anne quando riceve la notizia. Ma forse non è mai finita.

Il processo comincia il 2 gennaio 1935 a Flemington, nel New Jersey. Inizia «il processo del secolo», come lo chiamano i giornali. Ogni sera i giornalisti mandano i loro articoli in redazione. Il «New York Times» pubblica i verbali quasi per intero. La sala di ricevimento dello Union Hotel si trasforma in una taverna frequentata dai giornalisti. Gli ambulanti espongono la foto di Lindbergh con il suo autografo falso, insieme a copie del fermacarte del tribunale e della scala del rapimento da appendere al collo con un nastrino verde. Un giovane si taglia i ricci biondi e li vende come riccioli di Baby Lindbergh. La domenica arrivano più di sessantamila turisti a visitare l'aula del tribunale. Si siedono sulle panche della giuria, sulle sedie dei testimoni. La gente si accalca sperando di vedere il colonnello Lindbergh o la moglie.

David Wilentz è il procuratore generale del New Jersey e rappresenta la pubblica accusa. È molto amato dalla stampa ed è quasi una celebrità. La difesa di Hauptmann invece è debole. Il suo avvocato, Edward J. Reilly, viene ingaggiato dal «New York Journal» in cambio dell'esclusiva delle dichiarazioni di Anna, la moglie di Hauptmann.

L'avvocato non ha una buona fama. È malato di sifilide e alcolizzato ed è inoltre personalmente convinto della colpevolezza del suo cliente. I testimoni che depongono a favore di Hauptmann sono facili da screditare e tra loro ci sono un ex galeotto, un testimone di professione e un malato di mente.

All'inizio Hauptmann è spavaldo, qualche volta urla verso i testimoni, «basta bugie!». «Lei mi sta ammazzando», grida al suo avvocato.

Durante il processo viene riconosciuto da Lindbergh, da Condon e dal tassista Perrone. Ma è soprattutto quando Condon dichiara che la voce proveniente dal cimitero «era la voce di Hauptmann» che il destino del tedesco è segnato. Da parte dell'opinione pubblica non ci sono più incertezze.

Anche Hauptmann sembra cominciare a cedere. Non riesce a dormire la notte, ritorna in cella e piange. Ammette più volte di fronte alla giuria di avere mentito alla polizia, si confonde e sbaglia la parola *signature* pronunciandola *singnature*, proprio come veniva sbagliata dai rapitori.

Il 13 febbraio 1935 la giuria dichiara Bruno Richard Hauptmann colpevole di omicidio di primo grado.

Si ricorre in appello, ma non serve a molto. Durante una seduta l'avvocato Reilly ha anche una crisi di nervi e viene portato via con la camicia di forza.

Il 9 ottobre 1935 viene confermata la sentenza. Colpevole.

Hauptmann invia diverse richieste di grazia al governatore dichiarandosi innocente. Non serve a niente, anzi. Si fa notare che la grafia è simile a quella con cui erano state scritte le richieste del riscatto Lindbergh. Hauptmann insiste. È stato condannato in base a prove indiziarie. Non ci sono testimoni che lo abbiano visto portare via il bambino dalla culla. Non si sa se abbia agito da solo, se altri fossero coinvolti. Questo Fish era un suo complice? Non si sa se la morte del bambino sia stata accidentale o voluta. La presenza di Hauptmann sul luogo del crimine non è stata mai dimostrata.

Bruno Richard Hauptmann muore sulla sedia elettrica il 3 aprile 1936. Fino all'ultimo si dichiarerà innocente.

La moglie continua a proclamarne l'innocenza tentando più volte di convincere i giudici a riaprire il caso e a riabilitare la memoria dell'uomo. Lo fa fino al 1994, anno in cui muore anche lei, all'età di novantacinque anni.

Nella vita dei Lindbergh continuano a verificarsi episodi allarmanti. Viene notato un furgone sospetto davanti alla scuola materna di Jon, la polizia lo trova pieno di fotoreporter. L'auto della maestra che accompagna il bambino a casa viene affiancata e fermata da un'altra vettura. La maestra è terrorizzata, stringe il bambino a sé. Piange. Dall'auto scende un fotografo che scatta una foto al bambino.

Lindbergh decide di tenere il bambino in casa. Ingaggia un ex poliziotto che, armato di fucile a canne mozze, segue il bambino ovunque. Ma la situazione è insostenibile.

Charles e Anne fuggono dall'America la notte del 21 dicembre 1935. Verso l'Inghilterra.

Le impronte

Non è difficile ritrovare orme, impronte di piedi o scarpe sulla scena di un delitto, e nei casi più fortunati questo ci dice che un dato sospetto si è trovato, in un certo momento, proprio in quel luogo.

Non basta però esaminare le impronte fin nei più piccoli dettagli, occorre analizzare anche dove sono state impresse, perché lo stesso tipo di polvere e di terreno lo potremmo ritrovare poi sotto la suola della scarpa che ha lasciato quell'orma.

In buona sostanza, un lavoro dispendioso in termini di tempo e non certamente elettrizzante.

La prima regola con questo tipo di tracce è ovviamente quella di proteggerle, se si pensa al fatto che nella maggior parte dei casi vengono ritrovate in scene *outdoor*, all'aperto.

Il secondo passaggio prevede la documentazione con la ripresa fotografica e l'obbligo di una precisa metodologia. La macchina deve essere sistemata in verticale, su un treppiede, in modo che l'impronta non sia distorta, e accanto devono essere posati due righelli disposti parallelamente al lato lungo e a quello corto dell'orma. Bisogna poi illuminarla scegliendo l'angolo migliore e così cogliere la sua natura tridimensionale. Se c'è del materiale calpestato, come per esempio dell'erba o delle foglie, questo non va mai rimosso perché è parte integrante dell'impronta, e al di sotto non troveremmo nessun dettaglio utile.

Si procede poi, se è possibile, a prendere un calco dell'impronta. Nel passato veniva usata della polvere di gesso di Parigi, con risultati non sempre brillanti, mentre oggi si preferisce un materiale d'uso odontoiatrico chiamato *stone*, nome chimico emiidrato di solfato di calcio.

Quando si è ottenuto il calco, soprattutto se da un terreno soffice, non c'è da stupirsi se non rappresenta alla perfezione l'anatomia di una suola, dal tacco alla punta.

La forma, fissata nello *stone*, non ha infatti un aspetto piano, ma ad arco, perché mentre camminiamo noi tutti appoggiamo prima il tacco che affonda, quindi la pianta del piede, e da ultimo la punta, con una forte pressione finale. E la profondità di un'orma risente della pressione esercitata sul terreno.

Se poi chi ha lasciato le tracce sta correndo, e possiamo determinarlo dalla lunghezza del passo, le cose si complicano, per lo scivolamento del piede, per la terra sollevata, e poi perché chiunque di noi può presentare un modo differente d'appoggio. Dalle orme l'esperto non deduce solo il cammino o la corsa, ma anche se il soggetto che le ha lasciate è ferito, in preda a un'intossicazione oppure se trasporta un oggetto pesante.

Al contrario, non sempre è facile ricavare elementi sicuri dalla forma o dalla grandezza di un'impronta, se si pensa che le dimensioni di un piede in movimento possono essere più lunghe di 2 e anche 3 centimetri dello stesso piede in situazione statica, o che un'orma lasciata nel terreno umido, una volta che lo stesso asciuga, può rimpicciolirsi di 1,5-2 centimetri.

Ciò che spesso risulta determinante nella lettura di un'impronta sono piuttosto i dettagli della suola, l'usura, le irregolarità, i difetti, i segni di una riparazione.

Impronte possono rimanere impresse non solo nel ter-

reno o nella neve, ma anche nella polvere o sui frammenti di vetro calpestati da un ladro che si è introdotto in un
appartamento rompendo una finestra. In questi casi la rilevazione delle tracce non si effettua con un calco, ma
piuttosto con uno speciale nastro adesivo, oppure con
una pellicola caricata con elettricità statica, un sistema
ideale nel caso in cui le orme siano state lasciate su una
superficie soffice, come per esempio un tappeto o una
moquette.

Alla fine, comunque, ciò che conta è il *matching*, la corrispondenza tra la traccia ritrovata sulla scena del crimine e
le caratteristiche della scarpa del sospetto.

… Portava scarpe di gomma, anche d'inverno, e sono le sue orme, la suola consumata delle sue scarpe da basket con il disegno
appena percettibile di cerchi concentrici davanti al fiosso, sul quale
il giocatore dovrebbe piroettare.

Ha iniziato a camminare sulla neve nel punto in cui ci troviamo.
Le orme si dirigono diagonalmente verso il bordo e corrono lungo
il tetto per una decina di metri. Lì si fermano. Poi procedono verso
l'angolo e la fine dell'edificio, dove seguono il bordo a una distanza di circa mezzo metro fino all'angolo che guarda l'altro magazzino. Da lì è tornato verso l'interno per circa tre metri, in modo da
prendere la rincorsa. Poi le orme si dirigono dritte verso il bordo
dal quale è saltato.

L'altro tetto è di tegole nere, invetriate, che scendono così ripide
verso la grondaia da impedire alla neve di attaccarsi. Non c'era alcun appiglio. Tanto valeva saltare direttamente nel vuoto.

Non ci sono altre orme a parte quelle di Esajas. Sulla superficie
nevosa non c'è stato nessuno oltre a lui…

Groenlandia. Inverno. 18 gradi sotto zero.

Sono le impronte di un bambino morto in seguito alla
caduta da un tetto a non convincere Smilla e il suo «senso
per la neve», e a dettare l'inizio del thriller scritto da Peter
Høeg nel 1992.

Ma Smilla non crede alla tesi dell'incidente, della fatalità:

C'era qualcos'altro. Qualcosa di più... c'erano tracce di accelerazione. Nell'appoggio sulla neve o sul ghiaccio avviene una pronazione dell'articolazione del piede. Come quando si cammina a piedi nudi sulla sabbia... Se il movimento è troppo veloce, non abbastanza saldo, si verificherà un piccolo scivolamento all'indietro... Quando uno è abituato a giocare sulla neve non lascia orme di quel tipo, perché è un movimento antieconomico, come un cattivo trasferimento di pesi in salita nello sci da fondo...

Impronte. Come ogni buon romanzo, quello di Peter Høeg si basa su una documentazione scientifica rigorosa, e perciò le sue annotazioni potrebbero senz'altro riferirsi a un caso realmente accaduto. Un caso come il seguente, dove protagonista è sempre la neve, una tormenta che spazza una grande città nel Nordest degli Stati Uniti.

Era entrato in un minimarket, aveva puntato un fucile alla testa del proprietario e sparato senza esitare, poi aveva scavalcato il banco e svuotato la cassa. Un *modus operandi* identico a quello di altri episodi simili capitati nella zona.

Ma questa volta la segnalazione della rapina è tempestiva, e inizia una caccia all'uomo in mezzo alla bufera tra i vicoli, gli edifici, le scale e i tetti.

Quando alla fine lo catturano, l'assassino si è sbarazzato dell'arma.

Ma le impronte lasciate sulla neve lo tradiscono, e a ritroso gli investigatori risalgono a un anfratto dove il killer si era rifugiato per un momento, prima di riprendere la fuga. Lì viene trovato il fucile usato nella rapina.

Vicino all'arma ci sono numerose impronte di scarpa, tutte con lo stesso disegno e della stessa grandezza. La zona viene immediatamente protetta per evitare che il vento e la neve che continua a cadere possano cancellare le tracce. Quindi arrivano i tecnici della scientifica a videofilmare e fotografare le orme sotto ogni possibile angolazione.

Le impronte analizzate in laboratorio sono senza alcun dubbio quelle lasciate dalle scarpe indossate dall'uomo al momento del suo arresto. Una prova fondamentale, che permette di collegare il sospetto all'arma.

E l'arma, si scopre presto, è la stessa che è stata impiegata in dozzine di simili, mortali aggressioni avvenute nella stessa città.

Quando a lasciare un'impronta sulla scena di un crimine sono gli pneumatici di una vettura, anziché le scarpe di un criminale, i passaggi per proteggere, documentare e fissare attraverso un calco sono esattamente gli stessi.

Quello che cambia è ovviamente la natura delle impronte, e quello che può raccontare degli pneumatici e del mezzo che le ha lasciate.

L'elemento distintivo più appariscente di uno pneumatico è il disegno del battistrada, che influisce sulla rumorosità durante il movimento e sulla capacità di smaltimento dell'acqua nella marcia sul bagnato.

Oltre alle dimensioni del cerchio e alla larghezza del battistrada, un'altra misura caratteristica è il rapporto fra l'altezza del fianco e la sezione trasversale, che permette di distinguere uno pneumatico normale da uno ribassato.

Ci sono poi differenze che riguardano l'interasse, la distanza tra due pneumatici, e il passo, la distanza fra l'assale anteriore e quello posteriore misurata tra i centri delle ruote poste sullo stesso lato, e ancora il raggio di sterzata.

Nelle tracce lasciate su un terreno spiccano naturalmente le irregolarità o i difetti degli pneumatici, la possibilità che su un treno di gomme originali ne sia stata sostituita una sola perché danneggiata, e l'eventualità che l'auto sia equipaggiata con pneumatici ricostruiti. E ancora si può accertare la presenza di difetti nella meccanica, come per esempio un impianto di ammortizzamento danneggiato, una sospensione rotta.

Tutte le informazioni raccolte permettono ai tecnici e agli investigatori due tipi di confronto. Con l'auto del sospettato innanzitutto, poi, per esclusione, con tutte le vetture che, casualmente o per esigenze di servizio, hanno attraversato la scena del crimine.

Come in questo caso.

È una ragazzina, e sta tornando a casa in bicicletta dopo la scuola, in quella zona di campagna dove passa poca gente.

Decide di tagliare per una strada poco battuta, e forse si sorprende quando sente il rumore di un'auto che le arriva alle spalle. O forse non ne ha il tempo. Un urto violento la butta fuori strada e, ancora stordita, viene sollevata, poi spinta in macchina, una piccola utilitaria di color verde.

Qualcuno poi dirà di averla notata quella macchina, e di ricordare che il conducente guidava sbilanciato verso il lato del passeggero. Lì infatti l'aggressore trattiene la ragazzina, schiacciandola a terra davanti al sedile perché nessuno la veda.

Di lei, legata a un albero, verranno ritrovati solo i resti scheletrizzati alcuni mesi più tardi.

Ma sulla scena dell'aggressione sono rimaste le tracce degli pneumatici, ben impresse nel terreno soffice del bordo della strada, proprio dove è avvenuto l'impatto con la bicicletta. Un misto di roccia e terriccio, che comunque ha conservato impronte nitide per qualche metro, subito fotografate dalla scientifica, che poi ne raccoglie un calco.

Nel frattempo chi ha notato l'auto che si allontanava dal luogo del rapimento ha aiutato gli investigatori a tracciare un identikit, sulla base del quale i sospetti cadono su un uomo.

E sulla sua macchina.

Ci sono graffi sulla carrozzeria, con tracce di gomma

compatibili con le manopole del manubrio della bicicletta della vittima.

Si analizzano poi i quattro pneumatici e la ruota di scorta. Su quest'ultima e sull'anteriore destro si ritrovano segni caratteristici e insoliti, derivati da difetti meccanici. Si passa poi a studiarne la dimensione e il disegno, e si scopre che appartengono a un modello utilizzato solo in un numero limitato di veicoli, importati parecchi anni prima. Inoltre le gomme montate sono quelle originali, con pochi segni di usura. Si scopre che il sospettato ha avuto poche occasioni di guidare negli ultimi anni, perché ha passato un lungo periodo come ospite di un ospedale psichiatrico.

La posizione e la profondità dei solchi degli pneumatici corrispondono al calco del terreno fatto dalla scientifica. Non resta che sviluppare gli ingrandimenti fotografici e portarli per una comparazione nell'aula in cui si svolge il processo all'assassino della ragazzina e provare così la responsabilità dell'uomo.

«Toolmarks»

Non è semplice tradurre in modo sintetico il termine inglese *toolmarks*, con cui si indicano i segni e le tracce lasciati su una scena del crimine da strumenti, attrezzi e utensili, di solito nelle situazioni di scasso.

In questi casi nell'intonaco, nel legno o nel metallo è importante saper leggere il passaggio di una punta da trapano, di un cacciavite, della lama di un coltello, tracce che possono essere di due tipi: le prime sono quelle in cui si coglie la forma e la grandezza dello strumento; le altre, più importanti, sono le striature irregolari, le graffiature lasciate dai difetti e dalle irregolarità dell'attrezzo.

È mezzanotte appena passata, quando l'uomo si introduce nell'appartamento al pian terreno di un vecchio condominio. Sono vecchie anche le finestre, con i vetri fissati alle cornici di legno che lasciano passare l'aria, e lo stucco intorno a impedire che le macchine passando li facciano vibrare.

Non c'è nessuno in giro e l'uomo può fare con comodo. Si è portato un vecchio cacciavite con cui toglie le viti dal legno, poi lo affonda nello stucco che fissa il vetro, delicatamente. Basta poco a far leva e a ritrovarsi in mano la lastra che appoggia a terra, in un angolo buio, dove non si vede.

Poi entra e aggredisce la donna che sta dormendo.

Lei vive sola, e non ha il tempo di chiedere aiuto perché viene colpita alla testa con un pezzo di cemento che lui ha raccolto prima per strada e ha portato con sé. La donna è confusa, stordita, capisce che l'uomo sta cercando di violentarla, ma non è in grado di resistere e presto perde conoscenza.

Si risveglia qualche ora dopo, chiama la polizia e, prima di essere portata all'ospedale più vicino, riesce a fornire una descrizione abbastanza dettagliata del criminale, un uomo che porta gli occhiali.

Non è il primo episodio di aggressione sessuale che avviene nello stesso modo in quella zona della città, e gli investigatori puntano molto sui rilievi della scientifica per incastrare il colpevole.

Ma scoprono presto che sulla scena non c'è liquido seminale, nessuna formazione pilifera, nessuna impronta digitale.

Ci sono solo due tracce: una è quella lasciata da una punta irregolare nella morbida guarnizione del vetro e l'altra è un paio di occhiali dalla montatura maschile, che il criminale ha lasciato sulla scena. Mentre la finestra e il telaio finiscono nei laboratori e in mano ai tecnici, gli investigatori decidono di fare una visita a tutti gli ottici della città, mostrando una fotografia ingrandita degli occhiali.

E alla fine hanno fortuna.

Il proprietario di un negozio li riconosce e ha anche una scheda del cliente con un nome e un indirizzo. Aggiunge anzi che è un ottimo cliente, che ha appena comprato un nuovo paio di occhiali, giusto una settimana prima.

Il nome del sospettato viene inserito nei computer della polizia, e ne esce una serie impressionante di precedenti per aggressioni fisiche e sessuali. C'è anche la fotografia dell'uomo, scattata al momento dell'arresto per un fatto capitato pochi mesi prima.

Nella foto, sulla faccia dell'uomo, un bel paio di occhiali, uguali a quelli che gli investigatori hanno in mano.

Occhiali e fotografie vengono inviati al laboratorio. Queste le conclusioni: «Una montatura di metallo con stanghette di plastica di color marrone chiaro screziato. Sulle lenti e sulle stanghette si evidenziano piccole macchie di vernice bianca. È possibile apprezzare una piccola intaccatura nella parte metallica della stanghetta di sinistra».

Le fotografie eseguite al momento del precedente arresto vengono ingrandite con tecniche raffinate e, fortunatamente, gli scatti di profilo sono perfettamente a fuoco. La posizione dell'intaccatura sul metallo e le macchie di vernice sulle stanghette sono perfettamente sovrapponibili.

L'accusa comincia ad avere una base solida. Con un mandato di perquisizione gli investigatori setacciano la casa dell'uomo, ogni angolo, e anche dentro il garage, dove raccolgono tutti gli attrezzi che trovano. Perché i colleghi della scientifica li hanno informati: ci sono delle tracce particolari nel legno e nello stucco della finestra, sembrano quelle di un cacciavite, probabilmente molto usato e dal quale è saltata via una parte della punta.

Alla fine trovano il cacciavite, e i difetti, le striature che ha lasciato in quella sostanza morbida sono così chiari che ci vuol poco a convincere la giuria che la condanna deve essere esemplare per impedire che quell'uomo aggredisca e violenti altre donne. Per molto tempo.

«Bitemarks»

Anche in questo caso la traduzione, «segni di morsicatura», piace poco agli specialisti delle scienze forensi che, quindi, spesso decidono di mantenere il termine *bitemarks* anche nei lavori in lingua italiana.

Si tratta comunque di impronte lasciate dai denti e che si possono trovare nei resti di cibo, per esempio un pezzo di cioccolato o di formaggio, o ancora in un chewing gum masticato e lasciato in un portacenere.

Tracce importanti, perché i denti hanno caratteristiche distintive che permettono di stabilire l'età di un soggetto; e poi ci sono alterazioni, differenze negli spazi interdentali, disallineamenti, segni di precedenti cure odontoiatriche.

E quando un'aggressione è determinata da una forte pulsione sadica o sessuale, non è raro che il segno di una *bitemark* sia nitidamente impresso nella pelle della vittima, soprattutto nelle zone genitali.

In questo caso la prima difficoltà che si incontra consiste nello stabilire se quelle lesioni siano state effettivamente prodotte da un morso. Poi bisogna distinguere se l'impronta è dovuta ai denti di un uomo o di un animale, possibilità, quest'ultima, concreta nel caso di un cadavere ritrovato all'aperto, magari senza indumenti.

Se si sospetta che la *bitemark* sia stata prodotta da un aggressore, bisogna al più presto effettuare un tampone della lesione, per prelevare gli eventuali residui di saliva utili per un confronto genetico. Quindi si passa alla documentazione, alla fotografia e alla rilevazione di un'impronta della zona. Per questo si usano materiali da impronta ad alta precisione come quelli impiegati normalmente in odontoiatria, che permettono alla fine di costruire un modello in resina o in lattice.

Modello e fotografie, con l'aiuto di software di elaborazione di immagini, sono poi confrontati e sovrapposti al profilo della dentatura del sospetto aggressore.

Una tecnica già usata nel passato per inchiodare Ted Bundy, uno dei più celebri serial killer della storia.

Bundy nasce il 24 novembre 1946 a Burlington, nel Vermont. Intelligente, brillante, di aspetto gradevole, inizia a uccidere il 21 gennaio 1974.

Da qui una progressione inarrestabile, fino agli ultimi atti, quando sembra perdere del tutto quelle capacità di controllo che avevano caratterizzato i suoi delitti, e da tipico assassino organizzato diventa un criminale incapace di dominare gli istinti.

Il 15 gennaio 1978, durante la notte, Bundy fa irruzione in un campus universitario, nelle stanze dell'associazione femminile Chi Omega. Karen e Kathy vengono selvaggiamente picchiate, ma a Lisa Levy e Margaret Bowman va decisamente peggio, perché non sopravvivono all'aggressione. Lisa in particolare non viene solo percossa, ma anche violentata e morsicata a una natica, e poi al seno.

Il killer si allontana, ma continua a uccidere, e il 9 febbraio rapisce una ragazzina di dodici anni, Kimberly Leach, il cui corpo sarà trovato solo otto giorni dopo.

Alla fine Ted Bundy viene arrestato e processato, ed è qui che gioca un ruolo fondamentale l'odontologia forense, grazie all'esperta testimonianza del dottor Richard Souviron.

Durante il dibattimento lo specialista descrive le *bitemarks* trovate sul corpo di Lisa Levy, e lo fa mostrando alla giuria gli ingrandimenti fotografici delle lesioni riprese il giorno stesso della mortale aggressione. Poi mostra altre foto, altri ingrandimenti. Sono quelli della dentatura di

Ted Bundy, che presenta un piccolo difetto agli incisivi, perfettamente concordante con l'impronta trovata sulla vittima.

È questo l'elemento di prova più schiacciante, quello che porta la giuria a emettere una sentenza di colpevolezza e a spedire Ted Bundy nel braccio della morte.

Il 24 gennaio 1989, a quarantatré anni, Ted Bundy termina la sua esistenza fulminato da una scarica elettrica in un penitenziario dello Stato della Florida.

Ma l'odontoiatria forense, se risulta utile per inchiodare un assassino, lo è altrettanto per prosciogliere un innocente.

Gregory Wilthoit ascolta allibito la sentenza: «Colpevole di omicidio di primo grado per avere cagionato la morte della moglie Kathy, trovata cadavere nella sua casa di Pawhuska, Oklahoma, nelle prime ore del mattino del 31 maggio 1985».

Svuotato, incapace di reagire, è lui stesso a gridare che la sua vita ormai è finita, e che tanto vale che il giudice lo condanni alla pena capitale.

Viene accontentato e spedito nel braccio della morte.

Kathy era stata vittima di una violenza sessuale finita in un brutale omicidio. Gli investigatori avevano stabilito che era stata strangolata con il cavo del telefono. C'era anche un'impronta digitale sulla cornetta e un singolo pelo pubico in una pozza di sangue accanto al suo corpo.

E poi, sul seno della donna, il segno di un morso, una *bitemark*, come lo chiamano gli specialisti.

Lui, il marito, finisce immediatamente tra i sospettati. Si erano separati due settimane prima e Gregory si era trasferito a Tulsa, a una quarantina di miglia.

Aveva abitudini sregolate e nessun alibi per il momento del delitto, ma all'inizio si era sentito rassicurato dal fatto che non c'era corrispondenza tra le sue impronte digitali e quella trovata sul telefono. Anche le caratteristiche del pelo pubico esaminato al microscopio avevano escluso una sua presenza sulla scena del crimine.

Ma la pubblica accusa era andata avanti e aveva sostenuto la compatibilità tra le sue arcate dentarie e l'impronta del morso.

Poi Gregory aveva commesso un errore, e forse non era nemmeno colpa sua. Aveva scelto come avvocato il vecchio George Briggs, settantotto anni, alcolizzato e indementito, il cui comportamento era stato censurato anche dall'ordine degli avvocati solo poche settimane prima. Costantemente ubriaco, Briggs si presentava in aula sporco e trasandato, capace perfino di vomitare durante il processo. Ma questo sarebbe stato il meno, se non fosse che Briggs era così confuso da non opporre alcuna obiezione alla testimonianza sulla *bitemark* offerta dalla pubblica accusa.

Dopo la sentenza Gregory Wilthoit non è nemmeno capace di pensare, ma poi si riprende, non ci sta, si appella. Adesso accanto a lui c'è l'avvocato Mark Barret, che presto capisce come la chiave per l'assoluzione del suo cliente stia nell'odontologia forense.

Manda le copie delle fotografie della *bitemark* e delle impronte dentarie di Wilthoit a undici esperti del campo, inclusi i professionisti dell'FBI, quelli della polizia canadese e ai dentisti che avevano lavorato sui casi di Ted Bundy e degli strangolatori di Hillside, Kenneth Bianchi e Angelo Buono.

La risposta è unanime. Non sono stati i denti di Wilthoit a lasciare la loro impronta sul seno della moglie Kathy.

La Corte d'Appello garantisce a Gregory un nuovo processo nel 1993, giudicando del tutto inadeguata la difesa che lo aveva affiancato, e con le nuove prove in mano Wilthoit viene scagionato da una seconda giuria.

Gorge Briggs, radiato dall'albo, era morto poco tempo dopo la conclusione del primo processo.

L'omicidio di Kathy Wilthoit rimane a tutt'oggi un caso irrisolto.

Esaminare documenti, analizzare la voce

Una busta e un foglio di carta da lettera, con le loro caratteristiche, il tipo, la qualità, il colore. Poi il contenuto: un testo scritto a mano, oppure battuto a macchina, fotocopiato o ancora uscito da una moderna stampante. Sono tutti indizi utili per gli investigatori di una scena del crimine.

Gli esperti di confronti calligrafici non hanno dubbi. Impugnata una penna è impossibile trovare due soggetti che scrivano in modo esattamente uguale. Il che non significa che sia facile dimostrare che quel particolare documento sia stato scritto proprio da quella determinata persona, perché possono intervenire numerosi fattori fisici e meccanici, oppure relativi allo stato mentale, magari a una condizione di intossicazione da alcool o droghe.

In ogni caso è necessario entrare in possesso di un numero adeguato di scritti attribuibili con certezza a quel soggetto per potere procedere a una comparazione seria. E qualora non ce ne siano, sarà inevitabile chiedere una collaborazione, in buona sostanza che lo stesso soggetto si sieda davanti al tecnico e si metta a scrivere.

Può essere però che non abbia alcun motivo per aiutare la giustizia, magari perché è indagato, e teme che in questo modo possano incriminarlo, accertando che la richiesta di riscatto è stata scritta proprio da lui.

Quindi cercherà volontariamente di alterare la propria scrittura.

Ci sono però alcuni stratagemmi che si utilizzano per

ridurre al minimo questo rischio. Messo a sedere in una posizione confortevole, con davanti lo stesso tipo di carta e lo stesso tipo di penna, l'indagato non dovrà sapere nulla del testo originale da riprodurre, e non gli deve essere data alcuna istruzione su come scrivere determinate parole o quale punteggiatura usare.

Più il testo è lungo, più difficile risulta modificare il modo di scrivere. Lo si può dettare esattamente nella forma dell'originale, oppure fare in modo che contenga frasi e parole presenti nel medesimo, ma non nello stesso ordine. Ripetere per tre volte la dettatura a chi cerchi di camuffare produrrà tre risultati diversi uno dall'altro, quindi si chiede un altro campione.

Lo stesso si può fare, con risultati meno determinanti, se il testo è scritto a macchina. In questo caso conterà la spaziatura, la punteggiatura, l'uso di maiuscole e minuscole, la scelta di quando andare a capo.

L'introduzione di fax, fotocopiatrici e stampanti ha costretto alla pensione la vecchia macchina per scrivere, con i suoi difetti nell'allineamento delle lettere che permettevano all'investigatore di stabilire che erano stati quei tasti a battere quel messaggio.

Ma le fotocopiatrici possono presentare piccole imperfezioni da usura nel piano in vetro, o anche nel coperchio di chiusura, e ancora difetti meccanici che sono visibili e riconoscibili. Nei fax invece si ritrova quell'indicazione in testata che si chiama *transmitting terminal identifier*.

Quanto alle stampanti collegate a un computer, si può riconoscere la tecnologia di stampa, a getto d'inchiostro o laser, ad aghi o a trasferimento termico. E ancora il tipo di carta, il tipo di inchiostro o di toner usato e la sua composizione chimica.

Con la microspettrofotometria e la cromatografia su strato sottile si analizzano gli inchiostri con un approccio non distruttivo, dopo avere rimosso dalla carta una fra-

Impronte 101

zione piccolissima di sostanza con una siringa e un ago smussato.

Gli inchiostri diffusi in commercio, specialmente quelli impiegati nelle penne a sfera, sono costituiti da una miscela di coloranti, e negli Stati Uniti, dal 1968, il dipartimento del Tesoro ha iniziato a raccogliere e classificare tutti i campioni di inchiostro prodotti. Per comprendere possibili comparazioni tra una penna e un documento, basti pensare al caso di un manoscritto falsificato che si riteneva redatto nel 1971, fino a quando si scoprì che l'inchiostro conteneva una componente aggiunta solo dal 1975.

Un ultimo aspetto nell'esame dei documenti dubbi è relativo alle cancellature, e in questo caso una delle tecniche più utilizzate è quella della fotografia all'infrarosso. Alcuni inchiostri, quando esposti alla luce blu-verde, assorbono la radiazione per poi restituire una luce infrarossa. Il fenomeno si chiama appunto luminescenza infrarossa, che viene impressa da un apparecchio fotografico caricato con la pellicola adatta. Con questo sistema è facile capire se qualcuno ha cancellato una parola e tentato di scriverne sopra una diversa.

Passando da una forma di comunicazione all'altra, certamente più diffusa è la voce umana. In particolare, agli scienziati forensi può essere utile una conversazione incisa su nastro tramite la quale è possibile riconoscere eventuali minacce o rivendicazioni di un crimine. Anche questo può essere un importante tassello per collegare un sospetto a un determinato delitto.

Lo strumento di laboratorio utilizzato per analizzare la voce è lo spettrografo sonoro, sviluppato dai Laboratori Bell nel 1941 per scopi di intelligence militare.

Terminata la Seconda guerra mondiale, uno degli ingegneri del gruppo, Lawrence Kersta, prosegue la ricerca, convinto che l'impronta vocale o *voiceprint* costituisca un eccellente mezzo di identificazione della persona.

Per Kersta è impossibile che due individui possiedano la stessa ampiezza delle cavità che danno origine alla voce, come la gola, il naso e lo spazio orale diviso in due dalla posizione della lingua. E poi gli spazi vanno a interagire con altre strutture anche loro variabili, come le labbra, i denti e la lingua, il palato e la muscolatura del collo.

Le convinzioni dell'ingegnere della Compagnia Telefonica Bell non hanno tuttavia ancora raggiunto un consenso assoluto nel mondo scientifico, e non sempre l'impronta vocale è accettata come prova in un tribunale.

Quanto allo spettrografo sonoro, si tratta di un apparecchio che registra la voce e la converte in forma grafica attraverso una punta che incide una carta speciale. Lo spettro ottenuto mostra il tempo sull'asse orizzontale, la frequenza su quello verticale e la relativa intensità delle diverse frequenze.

In tempi più recenti allo strumento è stato collegato un computer con una maggiore praticità d'uso, con il vantaggio di impiegare software che filtrano ed esaltano alcuni particolari, cancellando il rumore di fondo quando questo interferisce negativamente con l'esame.

Nel comparare due campioni vocali, i tecnici ascoltano, e contemporaneamente verificano visivamente lo spettro su un monitor. Selezionano i passaggi dove vengono pronunciate le stesse parole e li confrontano. Le loro conclusioni devono rientrare in una delle sette categorie indicate dall'American Board of Recorded Evidence: venti corrispondenze danno una identificazione positiva, con meno di quindici è probabile e con meno di dieci è possibile. Un numero inferiore non consente la risposta e, in modo speculare, se almeno dieci elementi non corrispondono, l'esclusione è possibile, se sono quindici è probabile e se sono almeno venti è certa.

Ernest Nash è un tecnico della Michigan's Voice Identification Unit, ed è chiamato come testimone esperto a decidere il destino di un uomo, un uomo sospettato di aver commesso un delitto orribile.

Tutto ha inizio il 24 settembre, il giorno del trentaduesimo compleanno di Neil LeFeve, guardiacaccia. La moglie ha organizzato una piccola festa per l'occasione e vedendolo tardare prima si arrabbia, poi si preoccupa. Chiama il principale di suo marito e poi la polizia, ma le ricerche durate tutta la notte non danno alcun esito.

Il mattino seguente, nei boschi dove LeFeve è uscito per lavoro, trovano la sua auto con la portiera spalancata e, poco distante, una pozza di sangue.

Seguendo le tracce, ecco comparire gli occhiali dell'uomo, poi due bossoli calibro 22 e, infine, un corpo. La scoperta, raccapricciante, è che quello è il cadavere di LeFeve, ma senza la testa, gettata a qualche metro di distanza. Nel cranio della vittima ci sono i segni di due proiettili, mentre numerose altre ferite verranno scoperte dal coroner nel torace e nell'addome.

Le caratteristiche dell'omicidio rivelano una rabbia incontenibile e inducono a sospettare la vendetta come movente. Gli investigatori si muovono interrogando tutti i cacciatori di frodo che LeFeve aveva identificato e arrestato. Le deposizioni vengono registrate su nastro e alcuni tra i maggiori sospettati vengono anche sottoposti al test della macchina della verità. Tutti sembrano collaborare alle indagini, tranne un uomo, ripetutamente arrestato dal guardiacaccia.

Il suo nome è Brian Hussong, ventun anni e nessun alibi per il giorno del delitto.

Gli investigatori riescono a convincere il procuratore di turno ad autorizzare le intercettazioni telefoniche, e mettono sotto controllo l'apparecchio di Hussong. Un'intuizione vincente, se è vero che la voce di Hussong viene registrata mentre chiede alla nonna di fornirgli un alibi e di nascondere il fucile con cui ha sparato. L'anziana donna accetta di aiutarlo, e naturalmente non trascorre molto prima che la polizia bussi alla sua porta con un mandato di perquisizione e trovi l'arma del delitto.

In aula Ernest Nash, tecnico della Michigan Voice Identification Unit, può affermare con certezza, diagrammi alla mano, che le voci registrate al telefono appartengono a Brian Hussong e alla sua affezionata nonna.

Ai giurati vengono fatti ascoltare i nastri più volte. Impiegano meno di quattro ore per un verdetto unanime: omicidio di primo grado, condanna al carcere a vita.

IV

Microtracce

Il caso degli Atlanta Child Murders

Edward Hope Smith ha quattordici anni, è di colore e vive in un quartiere degradato a sudovest di Atlanta. Un quartiere degradato di una grande città americana è un posto in cui si vive male, stipati in case quasi diroccate, dai servizi fatiscenti, un posto in cui si ammucchiano i rifiuti ai lati delle strade, la polizia ci passa solo quando è necessario e per il resto tutto è in mano ai ragazzi delle gang e agli spacciatori di droga. Cape Street è così, ed è così Memorial Drive, anche se sta a sudest, dall'altra parte della città. È lì che vive Alfred Evans, anche lui quattordicenne e anche lui nero. Brutte case, brutta gente e brutte storie. Così quando i due ragazzi vengono trovati morti in un boschetto alla periferia di Atlanta, appena fuori dalla Nisley Lake Road, la prima cosa a cui pensa la polizia è proprio quella, una brutta storia. Una brutta storia di droga. A Edward hanno sparato con una calibro 22, mentre Alfred sembra che sia stato strangolato. Sembra, perché i corpi dei due ragazzi sono così ridotti male che li hanno dovuti riconoscere dalle impronte dei denti. È il 28 luglio del 1979, e ad Atlanta fa molto caldo.

Cosa è successo? Per la polizia è tutto chiaro. I due ragazzi sono stati ammazzati per una questione di droga. Si conoscevano, questo si sa, erano amici, poi hanno litigato, Alfred ha sparato a Edward e un altro ragazzo, che era con loro, lo ha strangolato. I due ragazzi, però, non erano spacciatori, non facevano uso di droga, erano due atleti, Edward appassionato di football e Alfred di pugilato. Non erano neanche scomparsi assieme. Edward era andato a pattinare con la sua ragazza, l'aveva lasciata poco dopo la mezzanotte del 21 luglio e non era mai arrivato a casa. Alfred era scomparso sette giorni dopo, era uscito per andare a vedere un film di karate e da allora non lo avevano più visto.

Ma i due ragazzi sono ragazzi, sono neri e vivono a Cape Street e Memorial Drive, per cui si tratta di un affare di droga. E basta.

Per Milton Harvey, invece, è diverso. Anche lui ha quattordici anni ed è nero, ma vive in un bel quartiere a nordest di Atlanta. È un tipo in gamba, un adolescente piuttosto sveglio, col primo accenno di peluria sotto il naso che lui cerca di trasformare in un paio di baffetti. Ci tiene al suo aspetto, Milton, ha saltato il primo giorno di scuola perché la madre gli ha comprato le scarpe da ginnastica della marca sbagliata e lui, con quella roba fuori moda, in giro non ci va. Il 4 settembre 1979, la madre lo manda in banca a cambiare un assegno. Milton prende una bicicletta, esce di casa e non torna più. La bicicletta la ritrovano una settimana dopo, in una zona desertica fuori dalla città. Milton lo trovano a metà novembre, in una discarica di East Point, un paesino appena fuori dai confini comunali di Atlanta. È talmente decomposto che di lui rimane praticamente solo lo scheletro e al momento è difficile stabilire cosa gli sia successo.

Edward e Alfred uccisi per la droga, Milton morto per chissà cosa. Sono solo tre ragazzini neri finiti male in una città grande come Atlanta, che in quegli anni sta conoscendo un enorme boom economico ed è arrivata a più di un milione di abitanti.

Sì, e Yusef?

Yusef Bell ha nove anni ed è un ragazzino molto popolare nel suo quartiere. È intelligentissimo, simpatico, va molto bene a scuola e fa un sacco di favori a tutto il vicinato. È proprio mentre va a comprare le sigarette per un vicino che scompare. Lo cercano tutti, Yusef, sua madre Camille, i vicini, gli abitanti del quartiere, la polizia e anche i giornali, perché la notizia finisce sulla stampa. Lo trova il custode di una scuola elementare abbandonata l'8 novembre 1979, infilato in un buco nel pavimento di una classe. Qualcuno lo ha strangolato.

Quattro ragazzini neri. Ci sarebbe da pensare, ma Atlanta è grande e i ragazzi appartengono a categorie a rischio, per cui la polizia non se ne occupa molto e soprattutto non collega gli omicidi.

Neanche quello di Angel Lenair. Angel ha dodici anni, è nero, naturalmente, e il 4 marzo 1980 è uscito di casa dopo aver diligentemente finito i suoi compiti. Quando non lo vede tornare a casa per guardare la tivù, come fa sempre, sua madre si insospettisce e chiama la polizia. Lo trovano il 10 marzo, legato a un albero con un cavo elettrico e con un paio di pantaloncini che non sono i suoi infilati in bocca. Lo hanno strangolato, con quel cavo elettrico. E non solo, lo hanno anche violentato.

Il giorno dopo, l'11 marzo, scompare un altro ragazzino nero. Jeffrey Mathis esce di casa per comprare le sigarette alla madre e non torna più. Jeffrey ha dieci anni e c'è un testimone che dice di averlo visto salire su un'auto blu, una Buick o forse una Nova, assieme a un uomo di colore. Ma la polizia di Atlanta non sembra molto interessata a indagare, Jeffrey se ne sarà andato per conto suo e chissà quale squallida storia c'è sotto. I suoi resti verranno trovati più di un anno dopo.

Stessa cosa per Eric Middlebrooks, che ha quattordici anni, e il 18 maggio 1980 esce per far riparare la bicicletta. Lo trovano la mattina dopo, un paio di isolati da casa, bastonato a morte. La polizia pensa che sia stato testimone involontario di una rapina e lo abbiano semplicemente tolto di mezzo.

Il 9 giugno 1980 scompare Christopher Richardson, dodici anni, svanito nel nulla lungo la strada tra casa sua e la piscina. E il 22 dello stesso mese scompare anche Latonya Wilson. Latonya ha sette anni ed è un bambino sorridente e sempre allegro, che assomiglia un po' all'Arnold di una famosa serie di telefilm. Latonya sta dormendo nel suo lettino, in casa, quando scompare. C'è un testimone che dice di aver visto un uomo di colore aprire i vetri della finestra della camera di Latonya e portarselo via sotto braccio. I resti di Latonya, ridotti ormai a poche ossa, verranno ritrovati non molto lontano da casa sua.

E il giorno in cui è scomparso Latonya sparisce anche Aaron Wyche, che viene trovato il giorno dopo sotto un cavalcavia dell'autostrada, soffocato. Per cause naturali, dice la polizia.

E il 6 luglio scompare anche Anthony Carter, nove anni, sparito mentre gioca a nascondino con gli amici e ritrovato il giorno dopo dietro un magazzino a meno di un miglio da casa, ucciso a coltellate.

E il 30 luglio tocca a Earl Terrel, undici anni, che era andato in piscina con gli amici, si era fatto cacciare via perché si comportava male, se ne era andato ed era scomparso.

Dodici, sono dodici i ragazzini neri uccisi brutalmente o scomparsi nell'arco di pochi mesi. Sarà anche una grande città pericolosa, Atlanta, ma che ci sia qualcosa di strano comincia a diventare più di una sensazione, come più di una sensazione riguarda le inefficienze e gli errori della polizia. È a questo punto che le cose cominciano a cambiare.

C'è un gruppo di madri che si mettono assieme. Camille, la madre di Yusef, Venus, la madre di Angel, e Willie, la madre di Jeffrey, contattano il reverendo Earl Carroll e formano il Committee to Stop the Children's Murders, il «Comitato per fermare gli omicidi dei bambini», che più comunemente verrà chiamato «Stop». Le madri dello Stop si danno da fare e fanno pressione sul sindaco di Atlanta, il nero Maynard Jackson, e sul dipartimento di polizia, che costituisce allora uno speciale gruppo investigativo. Si mobilitano anche i capi delle comunità nere e i predicatori delle chiese, che organizzano veglie di preghiera, programmi educativi per insegnare ai bambini come comportarsi con gli sconosciuti, anche battute periodiche di ricerca dei ragazzi scomparsi. E non ci sono soltanto loro a interessarsi di quelli che verranno chiamati gli Atlanta Child Murders, gli «omicidi dei bambini di Atlanta». Da questo momento c'è anche l'FBI.

Alla scomparsa di Earl aveva fatto seguito una telefonata arrivata alla zia del bambino. «Ho preso Earl,» aveva detto un uomo «non chiamate la polizia.» Poco dopo l'uomo aveva richiamato, e dalla voce e dall'accento, dirà la zia, poteva essere un bianco del Sud. «Ho preso Earl. È in Alabama. Riaverlo indietro vi costerà duecento dollari. Richiamerò venerdì.»

Messa così, la scomparsa di Earl assomiglia a un rapimento, come anche la scomparsa di Latonya, portato via da casa sua. Non solo, se è un rapimento, quello di Earl, interessa più Stati, perché Atlanta è in Georgia ed Earl dovrebbe essere in Alabama. Rapimento e passaggio di confini statali sono reati da FBI.

Anche se adesso sono prese sul serio, le indagini non vanno molto avanti. Per la scomparsa di Earl la polizia setaccia il giro dei pedofili e ferma un uomo, John David Wilcoxen, a casa del quale vengono trovate migliaia di foto pornografiche con bambini. Ma sono quasi tutti bambini bianchi e a carico di Wilcoxen non viene trovato niente in grado di incriminarlo.

Le scomparse dei bambini, comunque, non si fermano.

Clifford Jones ha tredici anni, ed è uscito di casa per andare a trovare la nonna. Lo ritrovano il 20 agosto, strangolato e gettato in un magazzino isolato, con addosso vestiti non suoi. Per l'omicidio di Clifford viene fermato un uomo, Bernard Headley, il padrone di una lavanderia che conosceva il bambino. Ci sono testimoni che dicono di aver visto Clifford nella lavanderia, quel 20 agosto, e c'è anche un ragazzo che dice di aver visto il signor Headley picchiare Clifford, strangolarlo e portarselo via in un bidone della spazzatura, ma il ragazzo è considerato un ritardato mentale e quindi non viene preso in considerazione.

Il 14 settembre scompare Darron Glass, che ha dieci anni. Sarà scappato di casa, pensa la polizia, perché nonostante tutto quello che sta succedendo, tutte quelle scomparse e quegli omicidi, Darron era già fuggito altre volte e può essere quindi che se ne sia andato da solo.

Ma il 9 ottobre scompare anche Charles Stephens, che ha dodici anni, trovato il giorno dopo sulle colline, soffocato. E la prima settimana di novembre Aaron Jackson, nove anni, trovato sotto un ponte a South River, soffocato. E il 10 novembre, Patrick Rogers, detto Pat Man, sedici anni, appassionato di musica e fanatico dei film di karate di Bruce Lee, trovato il 21 sulla riva del fiume Chattahoochee con un proiettile in testa. E nel gennaio del 1981 tocca a Lubie Geter, quattordici anni, ritrovato un mese dopo in un bosco da un uomo che portava a spasso il cane, seminudo e strangolato. E poi Terry Pue, quindici anni, scomparso sempre nel gennaio dell'81 e ritrovato vicino alla strada interstatale 20, strangolato. Poco distante dal punto in cui si trovava Terry vengono trovati anche i resti di un altro ragazzo, che la polizia non riesce a identificare, anche se pensa che si tratti di Darron Glass.

Non finisce lì. Il 6 febbraio sparisce Patrick Baltazar, dodici anni, ritrovato una settimana dopo da un giardiniere che pulisce il cortile di un blocco di uffici. Patrick è stato strangolato, come anche Curtis Walker, tredici anni, trovato il 6 marzo del 1981 nel South River. O come Joseph Bell, detto Jo-Jo, che ha quindici anni e lavora in un ristorante di pesce. Sparisce il 2 marzo 1981 e due giorni dopo un ragazzo che lavora con lui al ristorante riceve una telefonata di Jo-Jo. Jo-Jo ha paura, gli dice di essere «quasi morto», e gli chiede aiuto, ma all'improvviso è costretto a riagganciare, troncando la conversazione. Qualche giorno dopo arriva una telefonata alla madre di Jo-Jo. È una donna, che gli dice di avere il ragazzo. Sembra un rapimento e la madre di Jo-Jo avverte prima la polizia, poi l'FBI, ma il 19 aprile Jo-Jo viene trovato nel South River, strangolato. Stessa cosa per Timothy Hill, tredici anni, scomparso il 12 marzo 1981 e ritrovato il 30 nel fiume Chattahoochee, strangolato. E c'è anche William Barrett, detto Billy Star, che ha diciassette anni ma è già un piccolo delinquente, che sparisce nel maggio dell'81, dopo essere uscito a pagare una multa per sua madre, e viene ritrovato il giorno dopo, vicino a casa, pugnalato e strangolato.

Sparisce anche un adulto, un ragazzo di ventidue anni, Eddie Duncan, detto Bubba. Anche se è grande, Bubba è un ritardato mentale e si comporta come un bambino. Sparisce il 20 marzo 1981 e viene ritrovato l'8 aprile, strangolato, nel fiume Chattahoochee. Ed è un bambino anche Larry Rogers, nonostante i suoi vent'anni. Larry sparisce nell'aprile dell'81 e viene ritrovato poco dopo, lasciato in un appartamento abbandonato, strangolato.

La comunità nera di Atlanta insorge. Tutti quei ragazzi morti sono troppi. Si formano comitati di protesta e si formano anche gruppi di autodifesa. Ci sono pattuglie di uomini armati di mazze da baseball, chiamate *bat patrol*, che perlustrano i quartieri più colpiti di Atlanta, ma non serve a niente, perché i ragazzi continuano a scomparire.

Le indagini della polizia e dell'FBI arrancano. Fin dall'inizio i casi sono stati considerati come omicidi isolati, indipendenti gli uni dagli altri, e questo ha creato moltissimi problemi. Per molto tempo, anche dopo le proteste dei vari comitati e l'interessamento dell'FBI, la polizia di Atlanta resta convinta che tutti quei ragazzi uccisi siano solo il frutto di una criminalità generalizzata, casi di «normale» violenza per una città violenta come Atlanta. Così a volte le segnalazioni e le testimonianze non vengono prese in considerazione finché non si ritrovano i corpi. La squadra speciale messa in piedi dal dipartimento di polizia di Atlanta riceve la telefonata di uno dei ragazzi, Patrick Baltazar. Patrick è spaventato, dice di sapere che l'assassino è molto vicino a lui, ma non gli crede nessuno, e la sua segnalazione non viene presa in considerazione. Come non viene presa in considerazione la telefonata che la signora Bell, la madre di Jo-Jo, fa alla polizia dopo aver ricevuto la chiamata della donna che dice di avere Jo-Jo. La polizia non la contatta neppure, così la signora Bell si rivolge all'FBI.

La sensazione che si tratti di omicidi indipendenti è rafforzata dal fatto che quella serie di delitti contraddice tutte quelle che fino ad allora erano le teorie in voga sugli omicidi seriali. I ragazzi vengono uccisi con metodi spesso diversi: strangolati, picchiati, accoltellati, uccisi a colpi di arma da fuoco. Ma ci sono anche molti elementi che possono metterli in connessione. Il criminologo Chet Detlinger, ex poliziotto e consulente del dipartimento di Giustizia degli Stati Uniti, forma un gruppo di lavoro che si mette a studiarli in modo da compilare una lista di casi che possano essere inseriti tra gli Atlanta Child Murders. Non è facile, perché ogni omicidio è stato archiviato in un modo diverso, spesso senza nessuna cura, a volte confondendo un caso con l'altro, come per Aaron Jackson, i cui dati si trovano mescolati a quelli di Aaron Wyche, per un semplice scambio di nome.

Ma le connessioni ci sono. Tutti neri, tutti più o meno bambini o adolescenti. Per alcuni di loro ci sono stati abusi sessuali, molti erano privi di vestiti o indossavano abiti che poi non sono stati riconosciuti come loro. Tutti provenivano dalla stessa zona, la *downtown* di Atlanta, i quartieri del centro della città, più o meno degradati. E quasi tutti, alla fine, si conoscevano, come i due Aaron, o Jo-Jo e Timothy Hill. Nella lista di Detlinger entrano anche altri quattro adulti, Michael McIntosh, ventitré anni, strangolato e gettato nel fiume Chattahoochee, Johnny Porter, ventotto anni, ucciso a coltellate, Jimmy Ray Payne, vent'anni, ritrovato nel Chattahoochee, e Nathaniel Cater, ventisette anni, nudo e strangolato, sempre nel fiume. Tutti erano pregiudicati, e in un modo o nell'altro connessi con il giro della pornografia e della prostituzione maschile.

Intanto le indagini proseguono e le ipotesi si sprecano.

C'è un testimone che dice di aver visto un bambino nella macchina di uno spacciatore. Il bambino era steso sul sedile di dietro, sotto una coperta, e quando l'uomo gli ha chiesto cosa ci facesse lo spacciatore gli ha detto che era in overdose, e lo ha minacciato di morte se avesse raccontato qualcosa a qualcuno. Quel bambino, pensa la polizia, poteva essere Charles Stephens. Per Pat Man Rogers, il ragazzo amante della musica e di Bruce Lee, c'è un nome, Wayne Williams. È il nome che un fantomatico impresario musicale avrebbe lasciato al ragazzo, che voleva fare il cantante. Per Lubie Geter ci sono due bianchi, due pedofili noti alla polizia che il ragazzo aveva frequentato, e che conoscevano anche Earl Lee Terrell e William Barrett.

A un certo punto l'FBI cerca di snellire la lista delle vittime archiviando alcuni casi e considerandone altri in via di soluzione, ma di nuovo la comunità nera insorge. Spuntano ipotesi inquietanti. I delitti sono opera del Ku-Klux-Klan che vuole colpire e terrorizzare la comunità nera di una città come Atlanta, una comunità che è cresciuta con il boom economico, che lavora nelle nuove fabbriche della Coca Cola, della Delta Airlines, della Cox Communications, che ha eletto un sindaco nero ma che ancora non è riuscita a ottenere un riconoscimento politico e si mobilita per averlo. Roy Innis, il capo del Congresso per l'Uguaglianza Razziale, parla addirittura di una setta dedita alla pornografia, alla droga e al satanismo, e porta addirittura un testimone, una donna bianca, che parla di riti e sacrifici umani.

Poi succede qualcosa.

C'è il «Black Bridge Splash», come l'hanno chiamato i giornali.

Lo «splash» è proprio uno splash, nel senso onomatopeico della parola. Il rumore di un tonfo nell'acqua. Lo sentono due poliziotti che stanno di pattuglia sul ponte stradale James Jackson, che attraversa il fiume Chattahoochee. È il 22 maggio 1981. L'agente Jacobs sta appostato a sud del ponte, mentre l'agente Campbell sta a nord. L'agente Jacobs vede arrivare una macchina da sud, una Chevrolet station wagon bianca del 1970. La macchina attraversa il ponte e l'agente Campbell sente un tonfo nell'acqua. Lo sente anche un altro agente, l'agente Holden, che si trovava in un negozio di liquori davanti a cui si era fermata l'auto, e che trovandola sospetta l'ha seguita. Gli agenti chiamano per radio l'agente Gillian, dell'FBI, che ferma la macchina a mezzo miglio dal ponte, raggiunto dall'agente Holden.

Al volante della Chevrolet c'è un uomo di colore, un tipo magro, con gli occhiali e una gran testa di capelli ricci, stile «afro». Ha ventitré anni e fa il fotografo free lance.

Non solo, fa anche l'impresario musicale. E si chiama Wayne Bertram Williams. Un nome molto simile a quello lasciato a Pat Man Rogers da uno sconosciuto.

Che ci fa Wayne da quelle parti? Va a trovare un cliente che si chiama Cheryl Johnson e ne dà anche l'indirizzo e il numero di telefono. Solo che il telefono non risponde e l'indirizzo non esiste. Gli agenti perquisiscono la macchina di Wayne, col suo permesso, ma non trovano niente di strano. Danno un'occhiata sotto al ponte ma non trovano nulla. Tengono fermo Wayne per un'ora e alla fine lo lasciano andare, con l'intenzione di interrogarlo ancora.

Perché è un tipo strano, Wayne Bertram Williams.

Sicuramente è un ragazzo intelligente. Si è diplomato «con onore» al liceo e a soli sedici anni ha costruito una stazione radio a casa dei suoi genitori. Perché è quello che vuole fare Wayne, diventare un impresario musicale e uno scopritore di talenti. E infatti se ne va in giro tra i giovani ragazzi neri di Atlanta a registrare le loro voci per produrre costosi demotape, finanziati da papà e mamma, che credono ciecamente nel loro ragazzo. Ma i talenti non escono e per vivere Wayne fa il fotografo di cronaca per i giornali. È un ragazzo intelligente, ma è anche un tipo strano. Mente sempre, è un mentitore patologico, con la particolare abilità di farsi credere un poliziotto. Lo hanno anche arrestato perché millantava di essere un ufficiale di polizia e se ne andava in giro con una macchina illegalmente equipaggiata con il lampeggiante e la sirena. Ha pochi amici, Wayne, e vive con la famiglia. Vive a Dixie Hills, che è un quartiere vicinissimo a quelli da cui sono scomparsi i ragazzi.

È un tipo strano Wayne, ma questo non basterebbe a renderlo sospetto per gli Atlanta Child Murders. Finché non succede un'altra cosa.

Il 24 maggio, due giorni dopo che gli agenti Campbell e Holden hanno sentito lo «splash» dal ponte Jackson, nel

Chattahoochee viene ritrovato il corpo di Nathaniel Cater. Non saranno delle cime gli agenti del dipartimento di polizia di Atlanta, e lo hanno dimostrato, ma fino a collegare il corpo di Nathaniel allo «splash» ci arrivano. Wayne viene arrestato e accusato dell'omicidio di Nathaniel Cater.

Wayne non ha un alibi. Lo sottopongono per tre volte alla macchina della verità dell'FBI, e tutte e tre le volte la macchina dice che mente.

Wayne contrattacca. Tornato a casa convoca una conferenza stampa in cui annuncia di essere stato accusato degli Atlanta Child Murders e di essere soltanto un capro espiatorio per le autorità. Scoppia il caso Wayne Williams e la casa dei suoi genitori viene costantemente invasa da giornalisti e operatori delle televisioni.

La polizia gli attribuisce anche l'omicidio di Jimmy Ray Payne e il 22 giugno lo arresta. Il processo inizia il 28 dicembre 1981, di fronte a una giuria di nove donne e tre uomini, in maggioranza neri, che resteranno isolati per tutta la durata del processo. Da una parte la difesa di Wayne, prima l'avvocato Mary Welcome, nera, e poi Alvin Binder, un duro avvocato bianco del Mississippi. Dall'altra l'accusa, Jack Mallard, dell'ufficio del procuratore Lewis Slaton. A presiedere, il giudice Clarence Cooper, nero, da sempre molto amico, troppo dice qualcuno, del procuratore.

Contro Wayne ci sono molti testimoni che dicono di averlo visto con alcuni dei ragazzi scomparsi. Ce n'è uno, per esempio, che dice di aver visto Jo-Jo in una Chevrolet station wagon con un nero al volante, che poi viene identificato con Wayne. Ci sono due colleghi di uno studio di registrazione che parlano di ferite e graffi visti sulle mani e sulle braccia di Wayne. C'è la moglie di un suo amico che giura che Wayne le ha detto di essere in grado di uccidere un ragazzino nero afferrandolo semplicemente per il collo, e mentre lo diceva aveva un lampo assassino negli occhi. Ci sono altri testimoni che demoliscono l'alibi di Wayne la notte dello «splash».

Ci sono alcune macchie di sangue trovate nella macchina di Wayne che vengono dichiarate compatibili con il sangue di William Barrett e di John Porter.

Ma, soprattutto, ci sono le analisi dei laboratori dell'FBI.

Iniziata come un'inchiesta improvvisata e poco convinta, quella sugli Atlanta Child Murders diventa una vera e propria indagine scientifica. Sui corpi delle vittime l'FBI aveva trovato numerose fibre, provenienti da stuoie, coperte o tappeti, fili d'erba e anche alcuni peli di cane. I tecnici dell'FBI vanno a casa di Wayne e sequestrano tutto quello che può essere comparato con quelle fibre, mandano tutto al laboratorio e lo esaminano. I risultati vengono considerati entusiasmanti. Molte delle fibre trovate sui ragazzi vengono dichiarate compatibili con i campioni prelevati, soprattutto con i tappeti di casa di Wayne e con il tappetino della sua macchina. In tutto ventotto tipi di fibre, provenienti dalla casa, dalla camera da letto e dalla macchina, tutti piuttosto rari e facilmente identificabili. E i peli di cane repertati, dice l'FBI, sono quelli del cane di Wayne. È soprattutto sulla base degli esami sulle fibre che a Wayne vengono attribuiti altri dieci casi di omicidio.

Per la procura, Wayne è un bigotto omofobico, omosessuale irrisolto, che odia i giovani neri delle classi basse e vuole punirli per il loro comportamento immorale. E per provarlo, Jack Mallard provoca in continuazione Wayne, riuscendo a strappargli reazioni violente contro di lui e gli agenti che lo trattengono.

La difesa di Wayne fa fatica a controbattere. Poco tempo per esaminare le deposizioni delle centinaia di testimoni prodotti dall'accusa. Pochi soldi per assoldare esperti in grado di contrastare il prestigio dei laboratori dell'FBI. Anzi, alcuni dei periti della difesa fanno brutta figura, affermando che il corpo di Nathaniel Cater è rimasto in acqua per due settimane, mentre era scomparso da molto meno. E poi ci sono i sospetti sulla parzialità del giudice Cooper, che non ammette alcuni testimoni chiave, come quattro persone che affermano di aver visto Cater vivo dopo lo «splash» al ponte Jackson.

Nonostante questo, qualche colpo a segno la difesa lo mette, o almeno ci prova. Un perito idrologo afferma che è impossibile che Nathaniel Cater sia caduto dal punto dello «splash», visto il luogo dove poi è stato ritrovato. Un altro fa notare come, di fronte a tante fibre provenienti dalla casa di Wayne trovate sui corpi dei ragazzi, non ce ne sia nessuna appartenente ai ragazzi trovata a casa di Wayne. E durante alcuni degli omicidi attribuiti a Wayne grazie alle fibre della macchina trovate sui corpi, la Chevrolet era a riparare e Wayne non poteva guidarla.

Per la difesa Wayne è un bravo ragazzo, che non è mai stato omosessuale e si è sempre comportato bene con tutti, soprattutto i bambini. Lui si dichiara innocente di tutto.

Vince l'accusa. Il 27 febbraio 1982, Wayne Bertram Williams viene riconosciuto colpevole dell'omicidio di Nathaniel Cater e Jimmy Ray Payne, e condannato a due ergastoli. Due giorni dopo la polizia di Atlanta scioglie la squadra speciale, ritenendo attribuibili a Wayne ventitré dei trenta casi compresi nella lista di Detlinger. Gli altri sette vengono archiviati come irrisolti.

Qualche anno dopo, nel 1985, vengono alla luce alcuni documenti segreti dell'ufficio dell'FBI della Georgia. C'è stata un'indagine sul Ku-Klux-Klan, tra l'80 e l'81, e c'è la testimonianza di un infiltrato nel Klan. L'informatore ha sentito che quelli del Klan volevano uccidere alcuni bambini ad Atlanta, per provocare una guerra razziale. Uno di loro ha parlato di un bambino, Lubie Geter, che avrebbe strangolato in macchina.

Nel 1998 il giudice Craig, della Corte Superiore della

contea di Butts, respinge l'ultimo appello di Wayne. Che resta definitivamente in galera.

Dove continua a proclamarsi innocente, vero o falso che sia.

Le microtracce e il laboratorio

Gli investigatori e gli esperti che lavorano fianco a fianco sulla scena di un crimine sanno che la soluzione di un delitto non sta sempre e solo in ciò che è evidente e visibile. Spesso sono particolari piccolissimi, dell'ordine dei milligrammi se non dei microgrammi, che forniscono la prova del legame tra luogo, vittima e carnefice.

Ecco allora l'importanza della microanalisi, dell'utilizzo di microscopi e delle loro tecniche per osservare, esaminare e catalogare le tracce, per capirne la morfologia, la forma, ma anche per indagini più raffinate, come le proprietà ottiche, lo spettro molecolare, l'esame dei singoli elementi.

In laboratorio uno degli strumenti più utilizzati è il microscopio stereoscopico a testata binoculare, costituito da due microscopi ottici appaiati che permettono l'osservazione con entrambi gli occhi, ma separati da un piccolo angolo di 15 gradi. È un sistema grazie al quale un occhio vede da una prospettiva leggermente diversa rispetto all'altro e consente di analizzare l'oggetto nella sua tridimensionalità.

C'è poi il microscopio composto binoculare, normalmente impiegato nei laboratori medici, in cui l'immagine si forma grazie a un unico, comune obiettivo. Con questo strumento gli ingrandimenti vanno da 25× a 1200×, anche se, per tutto quello che riguarda le indagini forensi, si utilizzano, di solito, valori da 40× a 400×.

Si ottengono così informazioni sulla morfologia della traccia analizzata, e quando è importante stabilirne anche le dimensioni precise si inserisce un micrometro con scala di precisione nella struttura stessa del microscopio. Sovrapposta all'immagine dell'oggetto, comparirà allora una scala di misurazione.

Il microscopio può essere poi dotato di altri accessori che lo rendono adatto a impieghi particolari, per esempio trasformandolo in uno strumento a luce polarizzata.

Sotto il controllo dell'oculare possono essere condotte anche delle piccole analisi chimiche, come la verifica della reazione di una minuscola scaglia di vernice ai diversi solventi, oppure l'identificazione di una sostanza con l'aiuto di test di microcristallografia.

I macroscopi, strumenti a basso potere di ingrandimento, sono impiegati in laboratorio per l'analisi dei reperti di grandi dimensioni, mentre l'apparecchio usato in balistica per stabilire se due proiettili sono stati sparati dalla stessa arma, attraverso l'esame dei segni che portano in superficie, i solchi, le scanalature, i graffi, è il microscopio ottico comparatore. In pratica si tratta dell'insieme di due microscopi collegati da un ponte ottico, in modo che due oggetti possano essere osservati simultaneamente in un unico campo, e le immagini, all'occorrenza, vengono affiancate e sovrapposte per meglio valutare le corrispondenze o le diversità.

La microspettrofotometria, dello spettro visibile e dell'infrarosso, è un'area della microscopia che ha assunto grande importanza nel corso degli ultimi venticinque anni. Si utilizzano strumenti che generano uno spettro di trasmissione, di riflessione o di assorbimento da campioni differenti, traslucidi oppure opachi. Le applicazioni più comuni riguardano gli spettri ottenuti da fibre colorate e da vernici.

Ma una vera rivoluzione nel campo del laboratorio di scienze forensi l'ha prodotta l'introduzione del microscopio elettronico a scansione (SEM).

Lo schema di un microscopio elettronico non è diverso

da quello di un microscopio ottico. Con una sorgente produce una radiazione che incide sul campione e, passando attraverso specifici sistemi che funzionano da lenti, va a comporre un'immagine ingrandita.

La differenza è che nel SEM la radiazione non è di natura elettromagnetica ma corpuscolare, costituita da un fascio di elettroni accelerati nel vuoto, e le lenti convergenti non sono di tipo ottico, ma sono costituite da campi elettrici e magnetici che sono in grado di modificare la traiettoria delle particelle cariche. Tutto avviene all'interno di un contenitore in cui si è praticato il vuoto, e l'immagine finale si osserva su uno schermo fluorescente oppure attraverso sistemi fotografici o televisivi.

Utilizzare gli elettroni al posto della luce visibile porta notevoli vantaggi nel potere di risoluzione, se si pensa che la lunghezza d'onda minima della luce visibile è di circa 400 nanometri, o milionesimi di millimetro, mentre la lunghezza d'onda associata all'elettrone in questo strumento può essere di soli 0,05 nanometri.

Quando poi al microscopio elettronico è associato uno spettrometro a raggi X a dispersione di energia (SEM/EDS), non solo è possibile esaminare particelle di piccolissime dimensioni, ma contemporaneamente di avere uno spettro che ne rivela la composizione.

Un ultimo metodo da citare è la diffrattometria a raggi X, che misura gli effetti d'interazione tra un fascio di raggi X e la materia cristallina, policristallina e amorfa sia allo stato solido sia allo stato liquido. I suoi campi di applicazione sono le scienze della terra, ma anche quelle dei materiali.

Polvere e terreni

Spesso, nel corso delle indagini, è indispensabile sapere se un sospetto o un mezzo di trasporto possono essere materialmente collegati alla scena di un crimine, e qui entra in gioco una nuova figura di specialista, il geologo forense, esperto di rocce, minerali e microfossili, in grado di riconoscere ogni tipo di terreno in base alla sua composizione.

Il suo punto di partenza sono le proprietà più semplici come il colore e le dimensioni dei grani. Il colore può variare dal grigio al giallino all'ocra rossastro al marrone e al nero, e le dimensioni partono dalla finissima argilla e, attraverso la sabbia via via più grossolana, arrivano fino alla ghiaia. Una volta in laboratorio, microscopi e difrattometri permettono poi di caratterizzare in maniera completa il terreno.

Bisogna però chiarire che un solo reperto difficilmente permette di risalire alla sua precisa provenienza geografica, e nella maggior parte dei casi le analisi utili sono quelle che si chiamano «comparative», quelle cioè che portano a riconoscere analogie o differenze tra due o più campioni.

Occorre comunque un grande lavoro di pazienza, per incrociare i «campioni di riferimento», cioè gli elementi ricavati dalle scarpe, dagli indumenti e dalle auto delle persone sospette o delle vittime, con quelli relativi al terreno prelevato sulla scena di un crimine.

Roma. Il 16 marzo 1978, intorno alle nove del mattino, l'onorevole Aldo Moro lascia la sua abitazione, diretto verso gli uffici del Ministero.

Con lui sono i cinque uomini della scorta, Raffaele Iozzino, Oreste Leopardi, Domenico Ricci, Giulio Rivera e Francesco Zizzi.

Hanno percorso circa un chilometro quando scatta l'agguato. In pochi minuti un commando delle Brigate Rosse scarica almeno novanta colpi di pistola e di mitragliatrice sulle guardie del corpo che perdono la vita, mentre lo statista viene rapito.

L'epilogo avviene l'8 maggio, quando una telefonata anonima indirizza verso un'auto parcheggiata in una strada del centro della capitale. Nel bagagliaio c'è il corpo senza vita di Aldo Moro, ucciso poche ore prima.

Durante l'esame preliminare del cadavere si trovano tracce di sabbia nel risvolto dei pantaloni e sulle scarpe, e all'équipe medico-legale viene affiancato un geologo forense, con l'incarico di analizzare questi elementi, come pure di esaminare ogni possibile dettaglio utile alle indagini proveniente dall'auto in cui è stato ritrovato il corpo. E poi, se possibile, di indicare da dove provengano le tracce e in che momento siano state prelevate dal loro ambiente naturale.

Per anni il risultato della valutazione è stato considerato del tutto riservato, ma il mutato clima politico ha permesso all'autore dell'indagine, il professor Gianni Lombardi del laboratorio di Petrografia dell'Università di Roma, di pubblicare nel 1999 un articolo su una delle riviste più prestigiose al mondo, il «Journal of Forensic Sciences».

Dall'analisi delle diverse tracce raccolte sia dal cadavere di Aldo Moro che dall'auto usata per trasportarlo, si sono raggiunte le seguenti conclusioni:

1) le caratteristiche strutturali e di composizione dei campioni di sabbia trovati sui pantaloni e sotto le scarpe dell'onorevole Moro, dentro l'auto e tra i solchi degli pneumatici sono molto simili e tipiche della sabbia delle spiagge della costa tirrenica del Lazio.

2) La prossimità del sito sabbioso al mare è comprovata dalla presenza, sotto le suole, sugli pneumatici e all'interno dell'auto, di nuclei e chiazze di bitume come derivati dalla evaporazione dell'olio sulla superficie del mare e diffusi sulle spiagge tirreniche. La freschezza delle chiazze testimonia che sono aderite recentemente ai supporti analizzati. La presenza di frammenti di poliestere termoindurente, come quello utilizzato nella costruzione degli scafi, incastrato nei solchi degli pneumatici e sotto i parafanghi, potrebbe indicare la vicinanza di un cantiere navale.

3) Grazie ai frammenti di vegetazione sul corpo e nell'auto, il momento in cui la sabbia è stata raccolta si è determinato essere as-

sai prossimo al giorno in cui è stato ritrovato il cadavere. L'analisi del polline ha indicato che incrostazioni di terreno di origine vulcanica hanno aderito ai parafanghi prima della sabbia.

4) Un confronto tra la sabbia ritrovata sul cadavere e sull'auto con una serie di campioni raccolti sulle spiagge del Lazio restringe le investigazioni a un tratto di costa percorso dall'auto e calpestato dalle suole delle scarpe.

5) La presenza sotto le suole di terreno di origine vulcanica aderito prima della sabbia suggerisce che le scarpe siano transitate su un terreno vulcanico prima che su una spiaggia.

Poche settimane dopo l'uccisione, i risultati preliminari di questa investigazione vengono consegnati agli inquirenti. Le forze di polizia indirizzano le proprie ricerche verso il tratto di costa considerato sospetto, ma non scoprono nessun nascondiglio dei terroristi.

Solo anni dopo gli investigatori arrivano all'appartamento alla periferia sudest della capitale, dove i brigatisti sostengono di avere tenuto prigioniero Aldo Moro. Nella loro confessione dichiarano di avere sparato all'uomo nel garage dell'edificio e di averlo poi caricato in macchina, diretti in centro. Dicono anche di avere messo loro sui vestiti di Moro sabbia e frammenti vegetali in modo da depistare le indagini.

Ma Lombardi non è convinto e afferma che tutto può essere, ma bisogna ricordare che la sabbia era stata ritrovata anche sotto le scarpe insieme alle tracce di bitume e di poliesteri termosaldati, e tracce di bitume erano disseminate nell'auto. E poi l'analisi dei frammenti vegetali indicava che questi erano finiti addosso a Moro in un momento molto vicino alla sua morte. La distribuzione del bitume e della sabbia sotto le suole indicava che l'adesione delle sostanze era avvenuta nel momento in cui qualcuno ci aveva camminato calzando le scarpe.

Ci sono poi altri indizi a favore dell'esistenza di una base operativa nei pressi del mare. Il furgone utilizzato per il rapimento di Moro era stato visto da un testimone mentre attraversava l'Aurelia in direzione della costa. E una prima analisi dei bossoli trovati nell'auto, accanto al cadavere di Moro, aveva rivelato tracce di ossidazione proprio come può succedere nei luoghi esposti alla salsedine.

Il professor Lombardi è certo del proprio lavoro, e nell'approccio a questo caso sottolinea l'importanza del gruppo, dell'apporto di tanti specialisti, come i chimici, i botanici e i geologi. Conclude affermando che nel caso di un omicidio politico quasi sempre ci si imbatte in zone d'ombra, aspetti mai chiariti, reticenze, mezze verità. È gia capitato, ricorda, nell'assassinio di John Fitzgerald Kennedy, e anche per la morte di Martin Luther King.

Fragile come il vetro

Un pirata della strada che uccide e fugge lasciando sul terreno, accanto alla vittima, le tracce di un fanale rotto nell'urto. Un vetro sfondato nel corso di un furto con scasso. Bottiglie e bicchieri gettati a terra durante un'aggressione. E ancora un proiettile che attraversa la finestra prima di raggiungere il suo bersaglio.

Sono alcuni dei casi in cui l'investigatore della scena del crimine si trova nella necessità di trarre tutte le informazioni possibili da quella particolare materia che è il vetro.

Pensiamo a una delle situazioni più frequenti, quella di una finestra con il vetro rotto. Le prime domande che l'investigatore si fa, coinvolgendo gli esperti, sono due: è stato un proiettile o solo un sasso, e poi da dove è arrivato, dall'interno o dall'esterno della stanza? Se il proiettile viene ritrovato, allora la risposta è semplice, ma altrimenti?

Di fronte al vetro, basta guardare. Risalta il centro, il punto di impatto, poi una serie di linee di frattura che sembrano disegnare la tela di un ragno. Ce ne sono di radiali, che si allontanano divaricandosi verso la periferia, oppure di concentriche.

È importante riconoscerle, perché c'è poi un terzo tipo di rottura, rappresentato dalle fratture concoidali che ci fanno dire con sicurezza da quale lato della superficie è avvenuto l'urto. Le linee di frattura concoidali si possono notare rimuovendo un frammento del vetro rotto e guardandone il bordo. Hanno origine perpendicolarmente alla superficie di un lato, e poi curvano tangenzialmente a raggiungere il lato opposto. Il lato da cui partono con un angolo retto rispetto alla superficie è lo stesso da cui è arrivato il colpo, se il frammento è stato asportato in corrispondenza di una linea di frattura concentrica, l'opposto se in corrispondenza di una linea radiale.

Se poi il vetro si è sbriciolato in frammenti piccoli bisogna fare attenzione a non mischiare i pezzi e a ricostruire l'intera lastra, avendo l'accortezza di ricordare che di solito il lato della finestra che dà verso l'esterno è quello più sporco e impolverato.

Quanto al tipo di oggetto che ha causato la rottura, i proiettili producono un foro a forma di cratere, con il diametro più piccolo nel punto di entrata e svasato all'uscita. Se invece il colpo d'arma da fuoco è stato sparato a breve distanza l'impatto è distruttivo e il foro non si vede più. Arriva allora in soccorso il laboratorio, cercando la presenza di particelle metalliche e residui di sparo tra i frammenti di vetro.

A complicare le cose sta il fatto che qualche volta un piccolo sasso schizzato dagli pneumatici di un'auto di passaggio può acquistare una velocità e una forza di impatto uguali a quelle di un proiettile.

L'analisi del vetro può dare preziose informazioni anche nel caso di incendi, perché quando la rottura dipende dall'esposizione al fuoco, si producono lunghe linee di frattura ondulate, e i frammenti generalmente cadono dallo stesso lato in cui si trovava la fonte del calore.

Restano da considerare le schegge, piccoli e piccolissimi frammenti capaci di disperdersi nell'ambiente, che vanno cercate con assoluta pazienza e scrupolo sui vestiti e sugli attrezzi di chi si sospetta abbia rotto la porta o infranto la finestra per introdursi illegalmente in una stanza.

Sono tracce, spesso microtracce, che si analizzano per le loro proprietà fisiche e chimiche, attraverso la densità, l'indice di rifrazione, la composizione chimica, e permettono un confronto. Magari non conclusivo, se il materiale è di impiego comune e di grande diffusione, ma certamente sono un elemento in più a sostegno di un'ipotesi investigativa.

Che l'esperto si ricordi però di prendere più campioni dalla lastra per un confronto, perché anche nello stesso pannello sono sempre possibili variazioni delle caratteristiche e delle proprietà.

Le tracce sottili: fibre e capelli

Il caso di Wayne Williams lo ha mostrato molto bene. Sapere riconoscere le fibre tessili permette di fare un passo importante, o addirittura decisivo, nel corso di un'investigazione scientifica. Ci sono le fibre animali come la lana, vegetali come il cotone, sintetiche come il nylon e il poliestere, minerali come la lana di vetro, oppure miste, composte per esempio di una parte di cotone e una sintetica.

Le fibre possono finire sugli indumenti di una persona provenendo da un tappeto, dalla moquette, dalle coperte, oppure dal contatto con i vestiti di un'altra. Ma si trovano anche sotto le unghie di una vittima, o sul parafango di un'auto che ha travolto un passante.

E non sono rari i casi in cui i pantaloni o la giacca di un

ladro si sono impigliati in un chiodo sporgente, in un pezzo di vetro, lasciando lì un frammento di fibra, magari piccolo ma incriminante.

Come ogni traccia, l'importanza di una fibra sulla scena del delitto dipende dalla sua particolarità, il che significa che un brandello di cotone non colorato può dirci ben poco.

Sono le fibre prodotte dall'uomo a prestarsi meglio al riconoscimento in laboratorio. Acetati, acrilici e poliesteri, composti da polimeri, possiedono proprietà diverse e per questo sono discriminanti. Al microscopio allora si determina il diametro della traccia, le sue caratteristiche morfologiche, la presenza di striature dovute al processo di fabbricazione. La microspettrofotometria consente di determinare il colore in modo preciso e con la cromatografia si scopre se al tessuto sono stati aggiunti prodotti chimici, come succede quando se ne vuole aumentare la lucentezza con il diossido di titanio.

Un altro test a cui si sottopongono le fibre sintetiche è quello della birifrangenza. Investita da un fascio di luce, la fibra lo scompone in due uscite, rifratte e polarizzate, ciascuna con indici specifici e misurabili per il confronto con un elenco di materiali conosciuti.

La delicatezza e le dimensioni di una traccia costituita da fibre tessili obbligano l'investigatore a ricercare con attenzione, ad annotare precisamente dove è stato trovato ciascun reperto, a raccoglierlo e trasportarlo nel modo corretto.

Appena è possibile bisogna inviare al laboratorio anche l'indumento o l'oggetto su cui si trova la fibra, altrimenti la si raccoglie con speciali pinzette a punta, oppure con uno particolare nastro adesivo. I piccoli aspirapolvere dotati di filtri di ritenzione sono meno efficaci qui che in altri casi, per il rischio di raccogliere con le fibre anche polveri e frammenti di altra origine, di minore importanza e in grande quantità.

Ma non è solo il caso dei Child Atlanta Murders a far capire come l'analisi delle fibre sia importante in un caso di omicidio.

Siamo in Europa, in una piccola cittadina della Finlandia per la precisione.

Il cadavere di una ragazza.

L'hanno ritrovata seminuda ai lati di una strada, a qualche chilometro dal centro abitato.

Ha diciotto anni, è stata violentata e strangolata.

La parte inferiore del suo corpo è nuda, mentre indossa ancora reggiseno, maglietta e maglione. Il resto degli indumenti, jeans, calze e slip, l'assassino glieli ha gettati addosso, come a voler dire che lei è ormai solo un oggetto senza valore.

Gli investigatori raccolgono i vestiti, il materiale sotto le unghie, i capelli. Passano un pettine a denti fitti e sottili tra i capelli e il pube della vittima, e cominciano a ritrovare fibre. Non ci sono altre tracce e per questo capiscono che proprio quelle fibre potranno fornire un indizio, magari una pista che porti al killer.

Undici fibre acriliche di un marrone uniforme tra i capelli e circa duecento sui vestiti vengono confrontate con i campioni raccolti nell'archivio, e questo dà una prima risposta. Appartengono con tutta probabilità ai coprisedili di un'auto.

Gli investigatori cominciano a fermare le auto sospette, tutte quelle che hanno dei coprisedili marroni, di un materiale simile al pile, al poliestere.

Bloccano dodici auto in poco più di due mesi, senza nessun risultato, ma alla tredicesima avviene la svolta. L'uomo al volante di quella macchina con i coprisedili marrone ha già dei precedenti penali. È stato fermato qualche anno prima con l'accusa di violenza sessuale. Se l'era cavata, era stato rilasciato, ma solo per insufficienza di prove.

Nel frattempo si trovano altre fibre sul cadavere, tra i capelli e sui vestiti. Sono di viscosa, insolite per il colore, e ci sono anche tre centimetri di un filo di lana color rosso-arancio.

I coprisedili dell'auto sono di pile, marrone, e tramite uno scotch speciale, applicato sul tessuto, vengono prelevate alcune fibre.

Sono di viscosa e di lana.

Rosse.

Nessun dubbio sulla necessità di ottenere un mandato di perquisizione per la casa del sospettato, e qui la scientifica trova le sue conferme. Le fibre di viscosa sono identiche a quelle del rivestimento del divano, mentre la fibra di lana arriva da una coperta che è lì appoggiata.

Ma non basta, e gli esperti continuano la ricerca.

Tra i capelli della vittima c'erano anche tredici fibre di cotone color blu scuro, e una uguale sotto le unghie, indistinguibili da quelle del tessuto dei pantaloni dell'indagato. Altre sei fibre acriliche di color rosa appartengono a un suo maglione.

Alla fine non solo è possibile collegare il sospetto all'omicidio, ma si ricostruisce qualcosa della dinamica degli eventi.

La vittima, per esempio, non è mai stata nella casa dell'aggressore, e sono stati gli indumenti indossati dall'assassino a trattenere fibre dalla propria abitazione, trasferendole poi sull'auto. Da qui sono poi finite sul corpo della ragazza, per quello che in linguaggio tecnico si chiama un «trasferimento secondario».

Nonostante le prove, l'assassino continua a dichiararsi non colpevole.

Ma non convince la giuria, che è persuasa dal lavoro

degli esperti, dall'analisi delle fibre, difficile ma completa, e lo condanna per omicidio di primo grado.

Anche i capelli e i peli costituiscono, come le fibre, delle microtracce. Si trovano quasi sempre nei delitti dove c'è stato un contatto, come nel caso di una violenza sessuale, oppure in un'aggressione terminata con un omicidio. E sono rintracciabili sulla scena, sulla vittima e sul sospetto, sui vestiti, e perfino sull'arma di un delitto.

Quando al capello è unita la sua radice e un numero di cellule sufficiente per l'estrazione del DNA, il problema dell'identificazione è più semplice. Diversamente, anche sottoponendo il campione a un esame accurato, si può tutt'al più escludere un sospetto, ma non dimostrare che un capello proviene da quel determinato soggetto.

La possibilità di estrarre dal capello un tipo particolare di DNA, quello mitocondriale, anche in assenza di radice, ha fornito alle scienze forensi un'ulteriore arma, anche se non sempre valida. La quantità di materiale genetico nello stelo è infatti minima, e se poi ci sono stati trattamenti chimici, le analisi possono risultare impossibili. Oltretutto va sempre ricordato che il DNA derivato da quei corpuscoli cellulari che sono i mitocondri, e non dal nucleo, arriva in eredità per linea materna.

Il laboratorio può comunque dare un'indicazione su altri elementi del pelo, come la specie da cui proviene, umana o animale, la zona del corpo dove è cresciuto, gli eventuali trattamenti cosmetici cui è stato sottoposto, come pure la presenza di alterazioni e di fragilità specifiche.

La prima valutazione al microscopio permette di riconoscere se appartiene a un animale oppure all'uomo. Mentre è facile distinguere il pelo di cani, gatti e altre specie domestiche, occorre certamente uno specialista per individuare gli elementi che provengono da una fauna meno conosciuta. Questa necessità può sembrare un po' bizzarra, ma ci sono situazioni in cui il cadavere è stato trovato all'aperto, dove può essere avvenuto un contatto con animali selvatici ed è utile saperlo.

Stabilita la natura umana del pelo, si può dire da quale parte del corpo proviene, e anche se è caduto spontaneamente o se è stato strappato nel corso di una lotta. Questa è un'informazione che ha grande importanza quando una vittima dichiara di essere stata aggredita e violentata, mentre la persona indagata ribatte che non c'è stata alcuna prevaricazione, e anzi una piena disponibilità al rapporto.

Peli e capelli si ritrovano poi spesso sul corpo di una vittima, stretti nelle sue mani, sotto le unghie, sulle lenzuola di un letto. E naturalmente tra il pelo pubico, che va sempre esaminato con un pettine a denti fitti, per raccogliere gli elementi estranei.

I segni di un trattamento chimico poi sono utili per un confronto, perché i capelli possono essere schiariti, colorati, arricciati o, al contrario, stirati.

Ma i capelli possono anche diventare un'ossessione, essere uno degli elementi centrali di un delitto, come in un caso, ancora aperto, in cui ci sono molti sospetti e nessuna certezza.

Heather Barnett ha quarantotto anni, e fa la sarta a Bournemouth, nel Dorset inglese.

Il 12 novembre 2002, i suoi figli rientrano a casa e la trovano riversa nel bagno, massacrata da colpi di martello alla testa, i seni profondamente incisi da una lama.

Heather ha le mani strette a pugno, serrate, e quando riescono ad aprirle ci trovano delle ciocche di capelli.

Sono capelli femminili, ma non le appartengono.

I sospetti si concentrano su un uomo di origini italiane, un trentaduenne immigrato da qualche anno, senza un'occupazione stabile, accasato con una donna, anch'essa di origini italiane e di vent'anni più vecchia di lui. La loro abitazione sta proprio di fronte a quella della vittima, e anzi le due donne sono amiche.

Sembra che Heather fosse un po' spaventata dall'uomo, che addirittura fosse convinta che lui le avesse rubato le chiavi di casa in occasione di una visita in cui le aveva commissionato delle tende.

Gli investigatori della polizia del Dorset lavorano, cercano tracce, collegamenti, scavano nel passato dell'uomo. E fanno una scoperta sorprendente.

In Italia, in una città del Sud, circa dieci anni prima, è scomparsa una ragazza di sedici anni, sparita improvvisamente mentre tornava da scuola, e nessuno ne ha saputo più nulla. E a vederla per l'ultima volta era stato proprio il sospetto assassino di Heather. Era stato interrogato, c'era qualcosa che non convinceva gli investigatori, e alla fine lo avevano condannato a più di due anni per falsa testimonianza, ma non per l'omicidio. Per quello non c'erano prove sufficienti.

Ma molti in quella cittadina italiana ancora ricordano una strana abitudine del ragazzo di allora, una cosa bizzarra. Aveva il vizio di tagliare ciocche di capelli alle ragazze.

Facticius (fatto artificialmente) è il termine latino da cui deriva «feticismo», quella forma di perversione in cui la meta sessuale non è più una persona ma un sostituto, una parte del suo corpo, o un indumento. Possono essere i piedi, un capo di biancheria intima, o, come nel caso seguente, i capelli, le trecce.

Caso 52, P., quarantenne, scapolo ... cresciuto bene, intelligente, ma presto gravato da tic e complessi di coercizione ... amava platonicamente, faceva spesso progetti matrimoniali. Si univa solo raramente con prostitute, ma non ne provava alcuna soddisfazione, piuttosto ribrezzo ... Una sera fu arrestato a Parigi mentre, nella confusione della calca, recideva la treccia di una ragazza. Quando lo arrestarono teneva ancora la treccia nella mano e aveva la forbice in tasca. Cercò di scagionarsi dicendo di avere avuto uno smarrimento momentaneo, di essere affetto da un'infelice mania, più forte di lui, e ammise di aver tagliato già altre dieci trecce, che custodiva in casa con la più piacevole soddisfazione.

P. racconta che durante gli ultimi tre anni, quando la sera si trovava solo in camera, si sentiva male, era dominato dalla paura, aveva il capogiro, era pervaso da un desiderio sfrenato di toccare le chiome di una donna...

Al culmine dei suoi attentati afferma di essersi sempre eccitato al punto di avere solo percezioni e quindi ricordi incompleti di quanto avveniva intorno a lui...

Durante il sopralluogo furono trovate in casa sua oltre sessantacinque tra trecce e ciocche, e una quantità di forcine, nastri e altri oggetti di toilette femminile...

Il caso 52 lo racconta il professor Kraft-Ebing, psichiatra, nel suo manuale *Psicopatia Sexualis*, data di pubblicazione 1886, due anni prima che i delitti legati alle perversioni sessuali riempissero le prime pagine dei giornali con le gesta di Jack lo Squartatore.

1886 quindi, ma in realtà sembra di essere nel 1993 in Italia, quando scompare una giovane, oppure nel 2002 in Inghilterra, dove viene uccisa una donna di mezza età.

Ma è possibile passare da un'abitudine bizzarra anche se sostanzialmente innocua a un'aggressività letale? Sì, è possibile. Pur trattandosi di casi eccezionali, nel taglio dei capelli, oltre a una sessualità malata, è possibile ritrovare una vena sadica. Ci sono individui che coltivano per anni fantasie a sfondo sadico-sessuale, ed è sufficiente un evento traumatico di qualunque genere, per esempio una relazione interrotta, un licenziamento, uno sfratto, perché la fantasia venga tradotta in realtà.

Ma l'oggetto parziale, pur «tagliato», finisce magari per perdere il suo potere di attrazione, non riesce più a colmare il desiderio.

E allora la fantasia prima, la realtà poi, si popolano di

azioni sempre più distruttive, sempre più sadiche. Con un'unica costante: non è possibile avere un rapporto con l'altro su un piano di normalità, bisogna «scomporlo». Perché scomposto non può essere un soggetto, e quel criminale, della persona, del soggetto, dell'individuo, ha paura.

Capelli, fibre, vetro, polvere e terreno.

Tracce spesso invisibili, microtracce appunto.

Un campo di ricerca pressoché infinito, se pensiamo a tutti quegli elementi presenti sulla scena di un crimine che impegnano gli investigatori e gli scienziati forensi, e che meriterebbero interi capitoli. Come i materiali da costruzione e i frammenti metallici, i bottoni e le corde, le sigarette e il tabacco, i fiammiferi e le ceneri, il legno e la carta, le tracce di indumenti, le etichette dei vestiti, i cosmetici, i nastri adesivi, il materiale elettrico...

V

Ingegneria forense

Il caso di Lady Diana Spencer

Tra i primi lanci dell'ANSA ce n'è uno dell'alba di lunedì 31 agosto 1997. Compare sullo schermo dei computer dei giornali alle quattro e cinquantacinque, preceduto da sigle oscure come codici di guerra che indicano orari e provenienze. Ventitré righe in Courier New corpo dieci, il bordo sinistro frastagliato dagli a capo e un errore di battitura a riga otto. *Inciodente*, al posto di incidente. Il fuoco del lancio, la vera notizia, però, sembra un'altra. Cinque fotografi arrestati e uno di questi strappato dalla polizia a un gruppo di persone che lo stava picchiando perché avevano assistito all'*inciodente*. Quale incidente?

Accade a mezzanotte e venti. Una Mercedes 600 nera sta correndo a centottanta all'ora sugli Champs-Elysées, nel pieno centro di Parigi. Dietro ci sono due motociclette e uno scooter che la inseguono come in un film, solo che a bordo ci sono fotografi e non killer e quelle che puntano non sono pistole ma macchine fotografiche. Sono paparazzi, cacciatori di fotografie di personaggi noti da vendere ai giornali e in quella Mercedes c'è una foto che può valere milioni. Hanno già cercato di scattarla poche ore prima, verso le venti, quando sono riusciti a intercettare lui e lei, un uomo e una donna, un uomo ricco e una bella donna, tutti e due molto famosi, mentre andavano a fare shopping in centro. Erano riusciti a seminarli e a chiudersi in albergo, al Ritz, per cenare in camera e da lì avevano fatto uscire altre auto, altre grosse Mercedes con i vetri oscurati. C'erano caduti tutti, tutti dietro come squali, come lupi, tutti tranne quei cinque – sette dice la Reuters, l'agenzia di stampa inglese – che avevano aspettato finché non era uscita quella Mercedes 600, che si era fermata al semaforo rosso di rue de Rivoli. L'avevano vista, quelli della Mercedes li avevano visti, avevano bruciato il rosso ed era cominciato l'inseguimento, come in un film.

La Mercedes corre velocissima nella notte, romba sugli Champs-Elysées diretta a un albergo nel XVI *arrondissement*, un luogo sicuro. Vola sul lungosenna, infilandosi nei sottopassaggi. Sulla strada c'è un ponte, ponte dell'Alma si chiama. La strada ci si infila sotto con un tunnel, che fa una discesa e subito dopo c'è una curva a sinistra ed è proprio lì che l'autista non riesce a tenere la Mercedes in strada, troppo veloce, troppo stretta la curva, e l'auto va a schiantarsi contro un pilone del sottopassaggio. L'urto è così forte che gli airbag non servono a niente. Il muso della Mercedes si schianta contro il pilone e il radiatore schizza dentro la macchina fino ad arrivare a metà dell'abitacolo. L'autista muore, muore l'uomo, muore la donna, si salva soltanto uno dei passeggeri, la guardia del corpo dell'uomo ricco. Un attimo dopo arrivano i fotografi con le motociclette e alcuni di loro tirano fuori le macchine fotografiche e si mettono a scattare. È per questo che le persone accorse sul luogo dell'*inciodente* ne aggrediscono uno.

Fin dai primi lanci delle agenzie, scritti col Courier New dell'Ansa o con il Times New Roman corpo dodici della Reuters, i nomi dell'uomo e della donna sono in evidenza. Quello di lui, Dodi Al Fayed, finanziere egiziano,

figlio di uno degli uomini più ricchi del mondo, Mohamed Al Fayed, padrone, tra l'altro, dei magazzini Har-
rods. Ma soprattutto quello di lei, Lady Diana Spencer, ex
principessa di Galles, ex moglie del principe Carlo di Inghilterra.

Lady D., insomma.

Lady Diana Spencer muore alle quattro del mattino di
quel 31 agosto 1997. Agli infermieri dell'ambulanza che la
trovano riversa sul selciato del tunnel, stesa sul fianco destro, con il volto vicino a una grande pozza di sangue – ci
sono le fotografie, scattate quella notte e finite presto sulle
pagine dei tabloid e dei siti Internet – non resta che cari-
carla in ambulanza e portarla all'ospedale La Pitié-Salpêtrière, piano, però, perché le sue condizioni non consentono all'auto di correre. Diana arriva in sala operatoria più
di un'ora dopo, all'una e venti, e per quasi tre ore i medici
cercano di salvarla, ma non ci riescono. Trauma cranico,
ferite su tutto il corpo e soprattutto una gravissima emor-
ragia toracica. Niente da fare. Con lei, nell'incidente,
muoiono anche Dodi Al Fayed, il fidanzato, e Henry Paul,
vicecapo dei servizi di sicurezza del Ritz, e quindi dipen-
dente del padre di Dodi, proprietario della prestigiosa catena di alberghi. Paul era alla guida della Mercedes 600.
Trevor Rees-Jones, la guardia del corpo di Diana, resta
gravemente ferito, in coma, ma vivo.

Ma perché? Perché è successo tutto questo? La Mercedes 600 stava cercando di sfuggire ai fotografi in quella
sorte di assurda e morbosa caccia alla volpe a cui personaggi come Lady D. sono abituati e apparentemente as-
suefatti da tempo. Stavano scappando, la «principessa tri-
ste» e il suo fidanzato, per andare a rifugiarsi negli
«appartamenti», un hotel di proprietà della famiglia Al
Fayed che stava nell'esclusivo ed elegantissimo XVI *arrondissement*. La Mercedes correva, sicuramente, monsieur
Paul stava spingendo sull'acceleratore, ma come è finito

contro quel pilone del sottopassaggio? Troppa velocità? Basta come spiegazione? Perché è qui che le cose si complicano e l'incidente in cui muoiono Lady D., Dodi e monsieur Paul diventa davvero un *inciodente*.

Come è naturale, le autorità francesi aprono un'inchiesta ufficiale. Dura due anni ed è l'inchiesta più costosa mai condotta in Francia su un incidente automobilistico. La dirige il giudice istruttore Hervé Stephan e produce un rapporto di seimila pagine. Il giudice analizza varie ipotesi, mette assieme molte testimonianze, profila anche un'accusa di omicidio colposo per i sette fotografi impegnati nell'inseguimento della Mercedes ma poi li assolve e giunge a una conclusione netta. La colpa di tutto quello che è successo è di una persona sola.

Monsieur Paul.

Henry Paul è uno degli uomini più fidati di Mohamed Al Fayed al Ritz. È il vicecapo del servizio di sicurezza dell'hotel e tutti lo ricordano come un uomo freddo e dai nervi saldi, di una professionalità puntigliosa. Così perfetto e così all'altezza della situazione, dicono anche gli amici, da risultare a prima vista antipatico. È lui che è andato a prendere Lady Diana, Dodi e la guardia del corpo della principessa all'aeroporto Le Bourget di Parigi, dove sono arrivati da Olbia con il jet privato della famiglia Al Fayed; è lui che è riuscito a seminare i giornalisti quel pomeriggio fino al Ritz; ed è lui che dovrà portare fuori la coppia per arrivare fino agli «appartamenti». Non con la Mercedes 280 con cui sono arrivati quel pomeriggio, perché quella non parte. Cambio macchina, allora, la 600 e monsieur Paul sempre al volante. Non è stato scelto a caso, monsieur Paul, è un autista esperto in guida veloce e ha anche il brevetto da pilota. E poi è uno che se la sa cavare benissimo in qualunque situazione. Il braccio destro del signor Al Fayed. Un uomo fidato.

Quella sera, però, non è così, dice il giudice Stephan nelle sue seimila pagine di rapporto. Quella sera Henry Paul aveva bevuto troppo e aveva mescolato l'alcol con gli psicofarmaci che stava prendendo per curare uno stato di depressione di cui soffriva da tempo. Lo dice il medico di monsieur Paul, il dottor Dominique Melo, che conferma che il suo paziente beveva troppo ed era depresso, e lo dicono gli esami del sangue. Le autorità francesi eseguono due differenti prelievi del sangue di Henry Paul e ci trovano un tasso alcolico di 1,75, tre volte superiore a quello consentito in Francia per guidare, che è dello 0,5.

La conclusione, quindi, è semplice. Henry Paul era ubriaco e anche un po' fatto. Ha guidato troppo forte e quando ha imboccato quella curva ha perso il controllo dell'auto e si è schiantato contro il pilone. Il colpevole, quindi, è Henry Paul.

È una conclusione che non convince tutti. Forse perché suona troppo semplice per una storia così grossa: in fondo, accusare l'autista è come accusare il maggiordomo in un giallo, come dice Beppe Sebaste in *H.P., l'ultimo autista di Lady Diana*. O forse perché c'è davvero qualcosa che non torna. Tanti piccoli particolari, poco chiari, in questo strano *inciodente*.

Uno di questi è la Uno bianca.

Sul luogo dell'incidente e sulla carrozzeria della Mercedes 600 vengono trovate tracce di vernice bianca da auto e i frammenti di plastica rossa di un fanalino posteriore. Le indagini portano ad appurare che appartengono a un modello particolare, una Fiat Uno costruita tra il maggio dell'83 e il settembre dell'89. La Mercedes 600 guidata da monsieur Paul potrebbe aver urtato la piccola utilitaria entrando nel tunnel, aver deviato la traiettoria ed essersi schiantata contro il pilone. Va bene, ma quella macchina, quella Uno bianca, dov'è? La polizia non riesce a rintracciarla e nessuno si presenta per dire che quella macchina era sua. Niente Uno bianca, come se fosse sparita nel nulla.

A parlare della Uno bianca sono anche alcuni testimoni, ma in maniera confusa e contraddittoria, come tutte le testimonianze raccolte nella relazione delle autorità francesi e nelle centinaia di articoli di giornali e libri che si sono occupati della morte di Lady D.

La più importante sarebbe quella dell'unico sopravvissuto all'incidente, la guardia del corpo della principessa. Trevor Rees-Jones è un ragazzone di ventinove anni, un ex paracadutista dell'esercito britannico assegnato a Lady D. come guardia del corpo. Nello schianto riporta ferite al volto e alla testa ed entra in coma. Quando si risveglia, però, non ricorda più niente. Ha perso la memoria. La riacquista tre mesi più tardi, dopo una serie di cure psichiatriche, ma solo per brevi flash. Finestre della memoria, si chiamano, e non durano a lungo.

In queste brevi finestre Trevor ricorda che Lady D. prima di perdere conoscenza ha parlato, ha chiesto aiuto e poi ha sussurato un nome, quello di Dodi. Ricorda che monsieur Paul non sembrava aver bevuto, anzi, sembrava calmo e tranquillo come al solito. Non gli avrebbe permesso di avvicinarsi alla macchina, dice, se avesse avuto il minimo indizio che non era a posto. E poi Trevor ricorda che dietro la Mercedes 600 in quel tunnel c'era anche un'auto, un'auto bianca, una piccola utilitaria a tre porte, che li ha seguiti fino da quando hanno lasciato il Ritz.

C'è un'altra testimonianza che parla di quell'auto. Quella notte sul lungosenna c'era una Citroën BX grigia con a bordo due giovani di origine magrebina, Mohamed Medjahdi e Souad Muffakir, la sua fidanzata. Erano stati al cinema, a vedere un film d'amore, e se ne stavano andando verso la Torre Eiffel per una serata romantica. Sono nel tunnel e ne stanno quasi uscendo quando Mohamed vede nello specchietto retrovisore della BX una Mercedes

nera che arriva a tutta velocità, e gli sembra che vada così
forte che accelera, Mohamed, perché immagina che tra un
momento arriverà a tamponarlo. L'auto sbanda, come se
fosse fuori controllo, poi esce dalla vista di Mohamed e si
sente uno schianto, come un'esplosione. Si fermano subito fuori dal tunnel e Mohamed vorrebbe tornare indietro
ma Souad ha paura, non vuole vedere quel disastro, è sicura che sono tutti morti. Poi arrivano i soccorsi e i due ragazzi se ne vanno. E la Uno bianca? Mohamed non l'ha
vista. Non ha visto nessun'altra macchina nel tunnel tranne la Mercedes. Infatti non è lui a parlare della Uno bianca. È Souad, la sua ragazza.

Souad dice che nel tunnel, dietro di loro, c'era anche
quella Uno bianca, che ha accelerato come per superarli,
ma poi ha rallentato, rimanendo al loro fianco. Souad dice
che ha visto bene chi stava al volante di quella macchina,
un uomo sui trentacinque anni, abbronzato, dai capelli ca-
stano scuri e probabilmente basso di statura, perché la sua
testa non superava di molto il volante. Accanto a lui
Souad ha visto un cane, un pastore alsaziano. Un'immagine surreale: la Uno bianca di fianco a loro, l'uomo e il cane, le due auto che occupano interamente la strada e quella Mercedes nera che arriva a tutta velocità dentro il
tunnel. Poi Mohamed ha accelerato per non farsi tampo-
nare, hanno sentito lo schianto e quando sono usciti dal
tunnel la macchina bianca non c'era più. Mohamed dice
che non è vero: Souad, che ora non è più la sua fidanzata,
si sbaglia. Non è vero, dice Souad, è Mohamed che sta zit-
to perché ha paura di qualcuno. Paura? Ma di chi?

Dei servizi segreti.

Qui le cose si complicano e le ipotesi sulla morte di
Lady D. entrano in quel campo confuso in cui si intreccia-
no teorie da giornale scandalistico, dietrologie da amanti
del complotto e plot di romanzi gialli. O semplicemente la
verità, perché certe cose, in effetti, ogni tanto accadono.

Sono frammenti minuti di un puzzle che si trovano in libri «rivelazione» come *A Royal Duty*, di Paul Burrell, maggiordomo della principessa, nei true crime come *Morte accidentale di una Lady* di Andrea Carlo Cappi, nei reportage dell'«Evening Standard», del «Sunday Telegraph», del «Daily Mail» o del «Sun».

Lady D. sarebbe stata uccisa perché era incinta di Dodi e un bambino meticcio, e addirittura musulmano, sarebbe stato un problema per qualcuno, afferma con forza Mohamed Al Fayed, il padre di Dodi. Per questo quando Lady D. arriva al La Pitié-Salpêtrière all'una e trenta di notte, rivela il «Daily Mail», all'ospedale ci sarebbero già alcuni funzionari dell'ambasciata britannica, tra cui uomini dell'MI6, il servizio segreto inglese, che avrebbero ordinato ai medici francesi di iniettare formaldeide nelle arterie della principessa, in modo da evitare ogni tipo di analisi, per poi portarne immediatamente a Londra il corpo, esaminato da medici di fiducia e subito imbalsamato.

Lady D. avrebbe avuto paura di suo marito, il principe Carlo, che voleva farla uccidere per risposarsi con l'amante, Camilla Parker-Bowles, dice il domestico Paul Burrell. Lo avrebbe scritto proprio la principessa in una lettera in possesso del maggiordomo e pubblicata dal «Daily Mirror».

Lady D. sarebbe già stata oggetto di un attentato due anni prima, i freni della sua auto sarebbero stati sabotati, come afferma in *Diane the Last Word* Simone Simmons, una guaritrice amica della principessa a cui Lady Diana avrebbe raccontato tutto.

Anche un altro amante della principessa sarebbe stato ucciso qualche anno prima, Barry Manakee, la sua guardia del corpo, morto in un misterioso incidente automobilistico: è la stessa Lady D. a rivelarlo in un'intervista alla NBC.

E Henry Paul non c'entrerebbe niente con la morte di Lady D. Quell'analisi che aveva riscontrato nel suo sangue un tasso alcolico così elevato sarebbe sbagliata, dicono i parenti di monsieur Paul, se non peggio. Il sangue analizzato, infatti, potrebbe non essere stato il suo, visto che assieme all'alcool e agli psicofarmaci la perizia delle autorità francesi aveva riscontrato anche monossido di carbonio inalato dopo la rottura dell'air bag, mentre per i periti della Mercedes questo non sarebbe stato possibile, dato che Henry era morto sul colpo.

No, invece, niente di tutto questo. La colpa dell'incidente sarebbe tutta di monsieur Paul e il rapporto delle autorità francesi sarebbe realistico, come scrive Martin Gregory in *Diana: gli ultimi giorni*.

Qualunque cosa sia successa quella notte, qualunque sia la spiegazione di quello schianto, la morte di Lady D. continua a far discutere e a suscitare dubbi e interesse. Un sondaggio del «Daily Express» rivela che almeno il 94 per cento delle persone intervistate pensa che dietro la morte della principessa Diana ci sia qualcosa di poco chiaro. Che l'incidente sia in realtà un *inciodente*.

In un certo senso deve pensarla così anche il medico legale reale, Michael Burgess, il coroner della Corona britannica, che nel gennaio del 2004 ha aperto una nuova inchiesta sulla morte di Lady D., affidandola all'ex capo di Scotland Yard sir John Stevens. I maligni dicono che sia un trucco della Corona per mettere a tacere tutte le ipotesi di complotto sullo schianto nel tunnel dell'Alma. Se è così, lo scopo non è stato raggiunto. L'inchiesta è già costata all'erario britannico tre milioni di euro e avrebbe dovuto chiudersi nel dicembre del 2004.

Ma è ancora aperta, e rischia di andare avanti ancora per molto.

Ingegneri forensi

«Si trattava di lesioni incompatibili con la sopravvivenza», questo dice Alistair Wilson ai giornali inglesi parlando delle ferite riportate da Lady Diana Spencer. Il dottor Wilson è il direttore del servizio di emergenza del Royal London Hospital, e aggiunge: «il personale dell'ambulanza francese, chi ha estratto il corpo dai rottami dell'auto, medici e infermieri dell'ospedale, tutti hanno lavorato benissimo. Per quanto ne so hanno fatto il possibile, e anche qualcosa di più».

Quando la principessa arriva in pronto soccorso, la situazione è disperata. La portano subito sul tavolo operatorio, individuano una grossa lesione della vena polmonare, che è la fonte della massiccia perdita di sangue, e quindi la suturano. Ma ormai non c'è più nulla da fare, nonostante il tentativo di rianimazione con un massaggio cardiaco che va avanti per più di due ore.

Ma non sono solo i medici a essere coinvolti nella tragica fine di Lady D., con tutte le illazioni su gravidanze imbarazzanti e frettolose sepolture. Certo ci sono gli investigatori di Scotland Yard e il team di esperti impegnati in tutte le indagini. Ma accanto a loro è coinvolto uno specialista particolare delle scienze criminalistiche: l'ingegnere forense.

Quando la CNN decide di girare un servizio per ricostruire la dinamica dei fatti, lo fa con l'aiuto della Renfroe Engineering, a Farmington, nell'Arkansas, un centro specializzato in *vehicular accident reconstruction*, nella «ricostruzione degli incidenti». Nei loro laboratori si raccolgono tutti i dati possibili, che poi vengono affidati al computer per ottenere una simulazione in grafica 3D. Ma non solo.

Viene calcolata la velocità della Mercedes al momento dell'impatto, e da questo dato si ricostruisce la forza con cui il torace di Lady Diana è stato proiettato in avanti. Sono almeno 70 g, e 100 per la testa, dove 1 g sta per un'accelerazione di gravità di 9,81 metri al secondo, che è anche il valore massimo che un pilota d'aerei supporta abitualmente.

Indossare le cinture di sicurezza sarebbe stato però sufficiente per ridurre quella accelerazione a 30 G per la testa, 35 per il torace. Per la Renfroe Engineering Lady Diana non indossava le cinture di sicurezza, e sono stati i 70 g a procurarle la lacerazione mortale della vena polmonare.

Il campo di lavoro degli ingegneri forensi è senza dubbio molto vasto. Sono chiamati a ricostruire la dinamica di un incendio o il crollo di un palazzo, indagano su materiali e prodotti, sulle strutture e i componenti che hanno presentato un difetto, oppure non hanno svolto la loro funzione come ci si attendeva. E magari proprio per questo hanno causato un danno, proprio per questo il caso è finito in un'aula di giustizia con la richiesta di una condanna, oppure di un risarcimento.

Certo però che gran parte del loro lavoro è dedicato a quella particolare arma di distruzione che è l'automobile.

Ogni anno in Italia 7000 persone perdono la vita a causa di incidenti stradali, 18 al giorno. 300.000 sono i feriti, 145.000 i ricoverati, e di questi almeno 20.000 porteranno per la vita i segni di una grave menomazione. Quando poi si vanno a vedere le cause, si scopre che in più del 90 per cento dei casi è imputato il comportamento scorretto del conducente.

Ma che a morire sia il conducente o il passeggero, o magari un occasionale passante, è sempre importante capire, ricostruire.

La dinamica, le tracce ci diranno allora se c'è un responsabile, se siamo di fronte a un omicidio.

In quel piccolo centro della provincia di Varese vivono non più di tremila abitanti. È passata la mezzanotte, e anche se è il 3 agosto e fa caldo, non c'è in giro nessuno.

Tranne un uomo che pedala in bicicletta, tranquillo, sulla sua carreggiata. E forse non capisce nemmeno quello che succede, quando quella macchina gli piomba alle spalle.

Il verbale della polizia parla di urto, di abbattimento e poi di trascinamento, perché dai segni trovati sulla carreggiata si scopre che dal punto d'impatto fino al bordo della strada in cui l'uomo ha finito per morire ci sono quasi trenta metri.

L'investitore non accenna a una frenata, e poi nemmeno rallenta. Lo si legge nell'asfalto asciutto d'agosto. Sparisce nella notte veloce come è arrivato, perché fa parte di quella categoria di vigliacchi che si chiamano «pirati della strada».

Gli investigatori sanno che è difficile identificare questi delinquenti, e per un momento sperano in un sistema di videosorveglianza, nelle telecamere che riprendono le strade del paese.

Ma nei nastri registrati non si vede nulla.

Però raccolgono con cura quello che trovano, e lo repertano.

«… nr. 1 borraccia di color nero, nr. 1 pompa di bicicletta, nr. 1 sella di color nero, nr. 1 catarifrangente di color verde, nr. 1 catarifrangente di color rosso, nr. 6 pezzi di colore nero e nr. 1 pezzo di plastica di colore grigio metallizzato.»

E allora si comincia proprio da lì, e si riesce da quei pochi frammenti – il più grande misura meno di 10 centimetri, a identificare l'auto pirata, a scoprire che è una Suzuki – tipo Gran Vitata. Il proprietario nel frattempo si è accorto che nell'urto si è danneggiato il fascione paraurti, anteriormente. Ma non vuole che qualcuno lo colleghi all'incidente, e allora compra i pezzi di ricambio e si mette a sostituirli. Ma il lavoro non gli riesce, e perciò è costretto a rivolgersi a un'officina.

Quando arrivano a casa sua non trovano le parti danneggiate, che non salteranno fuori nemmeno dopo, ma uno scontrino di una concessionaria. E quando ci vanno c'è il titolare che si ricorda benissimo del fatto, perché non è una cosa di tutti i giorni che un cliente cerchi di sostituire i pezzi da solo.

Ma la prova finale, quella che inchioda il sospettato, la consegna il Servizio di polizia scientifica, divisione IV, sezione III.

Perché sulla sella della bicicletta, finita sotto le ruote dell'auto, c'è rimasto del materiale. Lo si analizza, e si scopre che non è altro che cera, la cera di protezione della scocca della macchina.

E ogni casa automobilistica utilizza un tipo particolare di cera, assolutamente riconoscibile.

C'è voluto quasi un anno e mezzo, ma alla fine il colpevole, il pirata della strada, ha dovuto guardare in faccia un giudice mentre ascoltava la sua condanna per omicidio colposo.

Un ingegnere forense che si occupa di ricostruire un incidente stradale deve conoscere la chimica e la merceologia, ma anche la statica, la meccanica dei materiali e l'ergonometria, saper maneggiare equazioni vettoriali, integrali e complesse espressioni algebriche. E sopra ogni cosa, il suo lavoro poggia sulla perfetta padronanza delle applicazioni delle tre leggi della dinamica.

Alcuni aspetti sono però del tutto particolari, e anche curiosi, per i non addetti. Come la possibilità di ricostruire se al momento dell'impatto le luci degli stop, oppure l'indicatore di direzione, erano accesi. Perché il filamento di tungsteno delle lampadine, esposto improvvisamente all'aria per la rottura del vetro, si presenta in condizioni differenti se in quel momento era attraversato dalla corrente elettrica, oppure no.

E spesso un particolare come questo, apparentemente insignificante, può cambiare il corso di un'indagine.

Disastri

Perché un evento drammatico sia chiamato «disastro» non basta che ci siano feriti, morti e distruzione di beni e proprietà su larga scala. Occorre anche che quell'evento superi di gran lunga le nostre capacità di fronteggiarlo, di rispondere all'emergenza in modo efficace. E allora un autotreno che si ribalta in autostrada e coinvolge numerose auto può essere definito o meno un disastro anche in relazione al tratto di strada in cui il fatto accade, all'accessibilità dei soccorsi. Altri parlano di disastro quando alle vittime e ai danni si accompagna uno sconvolgimento importante nella vita della comunità.

In molte di queste situazioni c'è anche un crimine, e il fatto è evidente se si tratta di un attentato terroristico o dell'opera di un *mass murderer*, un «assassino di massa».

Le forze di polizia non hanno il monopolio delle scienze forensi. Storicamente si occupano di alcune discipline come la balistica, le impronte digitali, mentre per altre è necessario ricorrere a strutture esterne, come i laboratori di medicina legale, di antropologia e odontologia

Ma può accadere che né la scientifica né il medico legale abbiano competenze sufficienti per risolvere un caso. Come in uno dei più spaventosi omicidi di massa della storia recente, in cui entrano in campo anche gli ingegneri forensi.

«Sean, sono io. Volevo solo dirti che ti amo. Sono intrappolata in questo palazzo a New York. Un aereo lo ha colpito o forse è esplosa una bomba, non so. C'è un sacco di fumo e volevo dirti che ti amo. Ciao.» Sono le ultime parole di Melissa Harrington Hughes, trentun anni.

Robert DeAngelis, Bob per gli amici, di anni ne ha invece quarantotto quando l'11 settembre 2001 chiama la moglie al telefono. «Denise, amore, non riesco a credere a ciò che vedo! Non capisco che succede, qui la gente sta saltando giù dalle finestre del palazzo! Accendi la televisione!» Denise è a casa, corre a vedere le immagini in diretta che sta trasmettendo la CNN. E poco dopo urla: «Dio mio, un altro aereo si sta schiantando contro le torri! Scappa!».

Nessuna risposta le è mai più arrivata.

Il World Trade Center, o WTC, prima dell'11 settembre è un complesso formato da più edifici, di cui due spiccano per altezza: il WTC 1, o Torre Nord, completata nel 1972 e alta 417 metri, e il WTC 2, o Torre Sud, terminata un anno dopo e più bassa di un paio di metri. Sono più o meno simili dal punto di vista strutturale, con 110 piani e fondamenta che affondano nel terreno per almeno 20 metri.

Semplificando, ogni struttura assomiglia a due contenitori rettangolari vuoti, uno dentro l'altro, con il centrale composto di travi d'acciaio regolarmente distanziate, a contenere il nucleo di scale e ascensori e a sostenere il maggior peso dell'edificio.

Ogni piano ha un peso tra le 1300 e le 1600 tonnellate, per un carico, a livello delle fondamenta, di circa mezzo milione di tonnellate.

Quando vengono progettate, nella mente di ingegneri e architetti c'è anche il pensiero di un possibile incidente aereo, un impatto che coinvolga le torri. Perché il fatto si era già verificato, in una giornata di nebbia del 1945, quando un B52, la famosa «fortezza volante» della Seconda guerra mondiale, si era infilato in uno dei grattacieli più alti del mondo, l'Empire State Building, causando quattordici morti.

E l'Empire non è nemmeno lontano dall'area dove si costruiranno le Torri Gemelle.

Alle 8.46 del mattino il primo Boeing 767 colpisce la Torre Nord, tra il 90° e il 96° piano. Il secondo impatta la Torre Sud tra il 75° e l'84° alle 9.03 e, prima di colpirla, l'ala destra dell'aereo si alza di 45 gradi, mentre il muso si abbassa di 10.

Il WTC 1 riporta la distruzione dei due terzi dei supporti d'acciaio, ma nonostante il gravissimo danno i piani superiori al 96° non collassano subito. Il crollo della Torre avviene infatti dopo 102 minuti, mentre per il WTC 2 ne bastano 56.

L'energia di impatto dei velivoli è pari a quella di 4439 auto di media cilindrata lanciate a 160 chilometri. E questa energia si è scaricata sulle fondamenta in modo impressionante.

Ma la struttura ha retto.

Il vero problema, come hanno ricostruito gli ingegneri forensi, è stato il calore. Perché quando i serbatoi dei 767 liberano il loro carico di carburante, questo si distribuisce su una superficie di 6 piani per la Torre Nord e 9 per la Sud. Una quantità di liquido infiammabile superiore ai due litri e mezzo per metro quadrato.

L'acciaio impiegato per la struttura dei grattacieli a 500 gradi di temperatura perde circa il 50 per cento della forza tensile, la capacità di resistere allo stress senza fratturarsi. A 700 non ha più la forza e la rigidità sufficienti per essere un supporto strutturale valido.

A questo punto sopra la zona di impatto della Torre Nord ci sono 14 piani, contro i 26 della Sud. Quando l'incendio si propaga, e le temperature superano i 700 gradi, a cedere per prime sono le strutture su cui grava il maggior peso, e questo spiega come mai il WTC 2 crolli in un tempo inferiore al WTC 1.

Omicidio, suicidio, incidente

Un ingegnere forense al lavoro ha sempre a che fare con manuali e standard, come per esempio, tabelle di accelerazione o decelerazione delle auto, oppure il calcolo del cemento armato di un edificio.

Ma ci sono anche casi in cui è fondamentale conoscere tutto di un oggetto, dei diversi modelli in cui viene prodotto, le sue caratteristiche strutturali e di funzionamento. Anche se l'oggetto da misurare è curioso come la tazza di un water, e non è frequente che sia al centro di un'indagine per omicidio.

È stato accusato di aver ucciso la moglie annegandola, ma l'uomo si difende con forza. Non è stato lui, lui non ha fatto nulla. È la donna, una tossicomane, che aveva tentato il suicidio con un'overdose, aveva vomitato nel water, e poi perso conoscenza. Ed era finita con la faccia sott'acqua dove lui l'aveva trovata.

Il procuratore non è per niente convinto, e chiede all'ingegnere forense se sia possibile annegare in quel modo. Lo specialista accetta l'incarico, inizia il suo lavoro e scopre che ci sono casi documentati di morti avvenute in circostanze analoghe. Ma riguardano solo i bambini, non gli adulti. Raccoglie ogni informazione possibile, dalla documentazione della scena del crimine ai verbali d'autopsia. E analizza anche le specifiche della tazza: casa produttrice e modello, dimensioni esterne, bordo e dimensioni interne.

Nonostante la vittima fosse di corporatura minuta, è impossibile che nella tazza, oltre la testa, potessero entrare anche le spalle. Poi c'è la distanza dal bordo della tazza alla superficie dell'acqua sul fondo, che varia da 12 a 15 centimetri. Con questa distanza un adulto deve iperestendere il collo per vedere contemporaneamente sommersi bocca e naso. Con la muscolatura a riposo, come avviene in un soggetto svenuto o morto, bocca e naso non possono essere contemporaneamente sommersi. Perché la distanza media dalla linea delle spalle alla bocca in quel caso era poco più di 10 centimetri.

Ancora una volta le prove non mentono: non si è trattato di suicidio, è stato il marito a uccidere la donna.

Un altro caso, anche questo decisamente insolito. Hanno chiamato l'ingegnere forense a dare il suo parere, perché c'è da valutare se nella morte è stato determinante il malfunzionamento di un prodotto, di un attrezzo meccanico che avrebbe dovuto funzionare senza problemi. E che invece ha ucciso, e di mezzo potrebbe esserci una richiesta di risarcimento, per nulla modesta.

Il corpo di una donna di sessantun anni viene ritrovato alla mattina a terra, accanto alla recinzione in filo metallico della sua fattoria dove stava regolando l'erba con un tagliabordi, uno di quegli attrezzi dal lungo manico che terminano con un disco, una lama rotante di 26 centimetri.

L'autopsia mostra una lacerazione dell'apice del cuore, con emopericardio ed emotorace. La lesione è stata causata da un proiettile che in realtà è un pezzo di fil di ferro, con forma a U, ritrovato nella cavità toracica di sinistra.

La ricostruzione della dinamica dell'incidente porta a scoprire che i fattori che hanno causato il decesso della vittima sono molti.

In primo luogo la lama non era stata sostituita da professionisti, ma a farlo era stata la vittima stessa.

Che poi non aveva montata la conchiglia di protezione, quel guscio che fa sì che ogni frammento, ogni oggetto che finisce sotto l'azione centrifuga della lama sia proiettato lontano da chi la impugna.

Da ultimo la donna aveva impugnato il tagliabordi e lo aveva sollevato in alto, al di sopra del proprio petto, come dimostrava lo squarcio nella siepe metallica, e proprio da lì proveniva l'insolito proiettile che le aveva trapassato il petto.

Una fatalità estremamente rara, un caso appunto insolito, forse con un solo precedente riportato nella letteratura scientifica.

Ma non si poteva attribuire alcuna responsabilità alla ditta che aveva fabbricato l'attrezzo. Sul manico, in bella mostra, c'erano infatti tutte quelle precauzioni da adottare per un corretto funzionamento, tutte quelle cose che la signora di sessantun anni aveva dimenticato di fare.

Sono tante le risposte che le scienze forensi sono chiamate a dare. Indispensabili per ricostruire un evento, per comprendere se quello che è successo può essere definito un crimine, permettono ancora di determinare chi è coinvolto, di suggerire agli investigatori la direzione in cui volgere le indagini, quindi come riportare ogni fatto in una cornice razionale e logica, e presentare le prove in un'aula di giustizia.

Compiti a cui sa rispondere anche quel settore particolare dell'ingegneria forense che è la biomeccanica, la disciplina che si occupa dello studio degli spostamenti dei segmenti corporei e delle forze che li rendono possibili.

Trentun anni, maschio, razza afro-americana, arrivato a Taipei per una partita di baseball professionistico. Una prima base di 95 chilogrammi per un'altezza di 1 metro e 83 centimetri e una costituzione decisamente atletica.

La mattina dell'incidente lo hanno trovato a terra, vicino a un'auto, parcheggiata a una decina di metri da un palazzo di 14 piani, da cui si pensa subito sia caduto. Il parabrezza in frantumi e la capote ammaccata mostrano che il primo impatto è avvenuto proprio sul tetto di quella Ford Grenada. Trasportato in ambulanza a sirene spiegate, l'uomo arriva in ospedale clinicamente morto.

Nove ore prima aveva litigato aspramente con un amico mentre stavano bevendo una birra in compagnia di altri due conoscenti. Il custode del suo stabile lo aveva visto uscire, e mezz'ora dopo attraversava l'ingresso del palazzo di 14 piani, sette chilometri lontano dalla sua abitazione.

Gli investigatori salgono a ispezionare il punto da cui l'uomo è caduto, e trovano un ampio spazio aperto, 10 metri per 15, con una ringhiera alta un metro e venti.

Due piani sotto vive il suo amico. Con lui e con altri era solito salire in cima all'edificio per godersi il panorama e fare quattro chiacchiere.

I rilievi autoptici parlano di un *livor mortis* al dorso ancora modificabile alla pressione del dito. Pupille isometriche, dilatate, fuoriuscita di sangue dall'angolo della bocca, dal naso e da entrambi i canali auricolari.

Le ferite da impatto sono concentrate prevalentemente sul tronco, a sinistra. Ma le lesioni si ritrovano in tutto il corpo. E poi ci sono la frattura della testa femorale sinistra, delle vertebre lombari L2 e L3, combinata alla rottura del fegato, milza, reni bilateralmente, come pure lese sono le arterie iliache.

A livello cardiaco si apprezza la rottura dell'atrio destro e del setto interventricolare. Anche l'encefalo è interessato da un quadro emorragico.

Gli esami tossicologici non rivelano la presenza di oppiacei, cocaina, marijuana o ipnotici.

Ma sangue, urine e contenuto gastrico sono positivi per alcool, amfetamine e metamfetamine.

Cadere da un'altezza, solitamente da un edificio, capita di solito in caso di suicidio, in qualche incidente, e raramente come risultato di un'aggressione e della volontà di uccidere.

Anche in questo caso è indispensabile analizzare tutte quelle informazioni che di solito si raccolgono in un'indagine. Si va dall'esame della zona da cui il soggetto si è lanciato, di fatto la «scena del crimine», ai particolari della storia della vittima, personale e medica, ai rilievi che emergono nel corso dell'autopsia e dell'esame tossicologico.

Ma tutto questo a volte non è sufficiente, e allora intervengono gli esperti in biomeccanica, che analizzano la traiettoria della precipitazione, la distanza in orizzontale e il punto di impatto, elementi che sono strettamente legati alla velocità iniziale, all'angolo di salto e all'altezza del luogo da cui il soggetto è caduto.

Studiare tutti questi elementi permette di ricostruire dei pattern, degli schemi di caduta, e questo può portare a capire le condizioni mentali del soggetto al momento del salto, e quindi il perché ha perso vita.

Alcuni dei dati necessari sono stati acquisiti dagli specialisti attraverso una vera e propria sperimentazione, prendendo due gruppi di atleti cui è stato detto di provare rispettivamente il salto in corsa e il salto in avanti da fermo. Si è così potuto stabilire che la velocità iniziale in un soggetto di medie capacità atletiche che salta in lungo e da fermo è rispettivamente di 9,15 e di 2,70 metri al secondo, con un angolo di salto di 21 e 38 gradi, e soprattutto che una vittima che si lancia nel vuoto con una velocità iniziale superiore a 2 metri e 70 al secondo lo fa per una spinta suicidaria.

Altezza da cui l'uomo è caduto: 40 metri.

Distanza dal punto di stacco dall'edificio al punto di impatto: 10 metri.

Con un'equazione si introduce, accanto ai dati certi, la variabile dell'angolo di salto.

A 0, 10, 20, 30, 40, 50 e 60 gradi corrispondono velocità iniziali di 3,50, 3,48, 3,57, 3,78, 4,15, 4,78 e 5,85 metri al secondo.

Tutte le velocità sono superiori a quella di 2 metri e 70 al secondo, la soglia sopra la quale l'ipotesi del suicidio è quasi una certezza.

VI

Investigazioni scientifiche
e nuove tecnologie

Il caso di Michele Profeta

L'uomo che siede sul sedile di dietro ha qualcosa di strano. Pierpaolo Lissandron lo osserva da quando l'ha caricato sul suo taxi, davanti alla stazione di Padova. Inquadrato nello specchietto retrovisore, mentre i tergicristalli scorrono sul parabrezza, perché sta piovendo. Alle 19.45 «Pisa 14», la sua Citroën Xantia bianca, ha lasciato l'hotel Plaza di corso Milano e si è fermata al parcheggio della stazione, dove ha caricato quell'uomo. Un uomo normale, tutto sommato, sui cinquant'anni, alto, snello, con una barbetta bianca e un paio di occhiali da professore. Ma strano.

«Pisa 14» si stacca dal piazzale della stazione e si immerge nella pioggerella leggera di quel lunedì sera di fine gennaio, che dà a tutta Padova lo stesso colore grigio e spento. Ha appena imboccato via Malaman, una stradina a senso unico a poche centinaia di metri dalla stazione, quando il signor Pierpaolo si accorge che la sua non è soltanto una sensazione. L'uomo seduto alle sue spalle ha tirato fuori qualcosa, la tiene in mano, la punta verso di lui. È una pistola, un piccolo revolver, una vecchia Iver and Johnson calibro 32. Il signor Pierpaolo reagisce, afferra un ombrello che ha sul sedile del passeggero e comincia a colpire all'indietro, alla cieca, sempre guidando, ma non basta. L'uomo si sposta e da una distanza di una trentina di centimetri spara alla nuca del tassista.

L'auto sterza a sinistra, invade la corsia opposta e lì si ferma, contromano.

A notarla è una donna che abita poco più avanti, in quella strada. Esce in bicicletta e passa accanto a quell'auto ferma in mezzo alla strada; lancia un'occhiata dentro e vede un uomo riverso sul volante, illuminato dalla lucina interna. Si vede subito che è successo qualcosa, così la donna chiama aiuto. Arriva un'ambulanza e gli infermieri cercano di rianimare il signor Pierpaolo, che è ancora vivo, ma non c'è niente da fare e il tassista muore poco dopo l'arrivo in ospedale, prima ancora che riescano a operarlo.

Il signor Pierpaolo Lissandron ha trentotto anni, abita a Vigodarzere, un paesino vicino a Padova, fa il tassista da tanto tempo e non ha mai avuto un problema con nessuno, nessuna storia strana, nessun lato oscuro nel suo passato o nel suo presente, per cui la prima cosa che viene in mente agli agenti della squadra mobile di Padova è che si tratti di una rapina finita male. Ma è un'ipotesi che cade praticamente subito, e per alcuni motivi.

Intanto nella Xantia bianca si trova il portafoglio del signor Pierpaolo, e c'è anche l'incasso della giornata, tutto intero, quattrocentomila lire.

Ma soprattutto ci sono le lettere.

La prima era arrivata alla Questura di Milano il 13 gennaio 2001, sedici giorni prima dell'omicidio del signor Pierpaolo. Secondo i calcoli, tenuto conto dei ritardi e dell'efficienza delle poste italiane, doveva essere stata spedita non dopo il 9, sempre a Milano. Una busta rettangolare, indirizzata al questore, con l'indirizzo tracciato con un normografo, una di quelle mascherine per scrivere in stampatello o in corsivo facendo seguire un percorso determinato alla punta della penna. Dentro c'era un foglio e anche lì un testo scritto col normografo. Un testo inquietante.

«Questo è un ricatto vogliamo 12 miliardi altrimenti uccideremo delle persone a caso in qualsiasi città» tutto di seguito, senza punteggiatura, «sarà un bagno di sangue.» C'è anche una richiesta, «dovete pubblicare questa inserzione sul corriere della sera: offresi tornitore specializzato 12 anni di esperienza e un numero di cellulare – entro il 15-01-01 se non ubbidirete dopo le prime ucc», qui il testo va a capo, «isioni manderemo copia alle tw» con la doppia v, «e giornali e magari a qualcuno verrà voglia di imitarci scateneremo il terrore».

È una lettera inquietante e per capire cosa ci sia dietro la polizia fa mettere un annuncio sul «Corriere della Sera». Il 15 gennaio, primo giorno utile per farlo perché il 13 era un sabato, tra «magazzino contabilità consuntivazione» e «30enne offresi come custode», appaiono tre righe: «offresi tornitore specializzato 12 anni di esperienza». Segue il telefono. Ma nessuno chiama quel numero.

Invece arriva un'altra lettera.

Viene spedita da Padova col timbro postale del 30 gennaio, sempre indirizzata al questore di Milano, e arriva il 2 febbraio. Busta quadrata, indirizzo scritto col normografo e dentro un foglietto bianco identico a quell'altro, sempre in corsivo ricalcato dentro il tracciato della mascherina.

«Continueremo fino a quando non pubblicherete sul corriere della sera questa inserzione. offresi tornitore specializzato 12 anni di esperienza e un numero di cellulare.» C'è anche una firma: «Padova 1». Sembra la sigla di un taxi. Un taxi. La lettera viene spedita il 30 gennaio. Il 29 è stato ammazzato il signor Pierpaolo, l'autista di «Pisa 14».

Forse chi ha scritto la lettera non ha visto il primo annuncio, così la polizia ricomincia a far pubblicare messag-

gi sul «Corriere della Sera» e continua per tutta la settimana, fino al 10 febbraio. Ma non chiama nessuno.

Inizialmente un vero collegamento tra l'omicidio del
tassista di Padova e i messaggi dello sconosciuto al questore di Milano non c'è. La pista che si sta battendo è ancora quella della rapina, o al limite del litigio con qualcuno, e si sta cercando la persona caricata dal signor
Pierpaolo.

Poi, succede qualcosa.

Giovedì 9 febbraio. Un'agenzia immobiliare di Padova riceve una telefonata. È un uomo, il signor Pertini, così dice di
chiamarsi, che vorrebbe un appuntamento con il titolare per
vedere una casa a Chiesanuova. Un appuntamento per sabato 11 febbraio. Parla con la segretaria che gli dice che, se il
titolare non può, al limite viene lei a fargli vedere la casa,
ma lui insiste. Vuole il titolare, sabato 11 febbraio, ore dodici. Il giorno dopo il signor Pertini chiama ancora. Vuole il titolare, se lo fa passare e insiste, vuole vedere lui, non la segretaria. Il titolare si insospettisce e intanto registra la
telefonata, duecentosettantatré secondi, quasi cinque minuti di conversazione. E poi, il giorno dopo, manda comunque
la segretaria, che va a Chiesanuova a mezzogiorno, aspetta
davanti al portone della casa da far vedere, aspetta tanto, e
dato che non arriva nessuno a un certo punto se ne va.

Lei non lo sa, ma il signor Pertini è da qualche parte e la
sta guardando. E quello che vede non gli piace. Aveva
chiesto il titolare, un uomo, e invece arriva la segretaria,
una donna. Il signor Pertini si allontana e si dirige verso
l'appuntamento di riserva.

Sì, perché anche un'altra agenzia aveva ricevuto la telefonata di un certo signor Pertini, in quei giorni. Il titolare dell'agenzia La Gregoriana segna un appuntamento
sulla sua agenda. «Ore 12.30 via San Francesco, davanti
alla farmacia» e poi il nome di chi ha fissato l'appuntamento, «Pertini».

Alle dodici e trenta Walter Boscolo, titolare della Gregoriana, è a Pontecorvo, in via San Francesco 173, dove c'è il monolocale che deve mostrare al signor Pertini. Il signor Pertini arriva, è un uomo sui cinquant'anni, alto, snello, con una barbetta bianca e un paio di occhiali da professore. Salgono insieme al secondo piano, il signor Walter apre la porta del monolocale, entra, accende la luce, fa per andare ad aprire le finestre e l'uomo alle sue spalle gli punta addosso una pistola, una Iver and Johnson calibro 32. Un colpo alla nuca, e altri due, l'ultimo alla fronte. Poi se ne va. Nessuno ha sentito niente, né i vicini né i clienti del ristorante e della pasticceria che stanno al piano di sotto.

La sera, la fidanzata di Walter comincia a preoccuparsi. Non ha più notizie di lui, ha paura che gli sia successo qualcosa e avverte la polizia. Il giorno dopo gli agenti vanno a controllare gli appuntamenti di Walter e arrivano fino al 173 di via San Francesco. C'è la luce accesa al secondo piano. Gli agenti fanno sfondare la porta dai vigili del fuoco e trovano Walter.

Accanto al suo corpo ci sono alcuni strani oggetti.

Due carte da gioco, un Re di Cuori e un Re di Quadri.

E un'altra lettera, scritta col normografo.

«Anche questa non è una rapina contattate il questore di Milano.»

A occuparsi delle indagini è la squadra mobile di Padova, diretta dal dottor Alessandro Giuliano, che risponde ai sostituti procuratori Paolo Luca e Paolo Fietta. Il caso viene immediatamente collegato all'omicidio del signor Pierpaolo e anche a un altro omicidio, avvenuto qualche mese prima, quando uno sconosciuto ha sparato a Furio Dubrini, di professione netturbino, che stava attraversando la strada per buttare la spazzatura in un cassonetto. Ma il calibro della pistola usata per ucciderlo è diverso, e dopo qualche tempo la pista viene abbandonata. Sono indagini velocissime, fatte con estrema perizia.

Carte da gioco, lettere scritte col normografo, il *modus operandi* dell'assassino. C'è anche un altro elemento che colpisce gli investigatori e che dà al caso un aspetto ancora più inquietante.

Il numero dodici.

I due omicidi avvengono a dodici giorni di distanza l'uno dall'altro. I miliardi chiesti come riscatto per non uccidere più sono dodici. Dodici gli anni di esperienza del tornitore richiesti nell'annuncio sul «Corriere». L'impressione è quella di trovarsi di fronte a una mente distorta.

A un serial killer.

E allora, a dare una mano agli investigatori, viene chiamato anche uno specialista, uno psichiatra esperto in profili criminali, Massimo Picozzi.

Le indagini della squadra mobile di Padova, a cui collaborano i colleghi di Milano Luigi Savina e Nicola Lupidi, partono dai telefoni. L'assassino di Walter e del signor Pierpaolo ha lasciato alcune piste telefoniche.

La prima parte dal numero che ha chiesto di mettere sull'annuncio per poter contattare le autorità riguardo al suo riscatto. La polizia ha fatto indicare il numero di un cellulare al quale risponde un ispettore della Questura di Milano, Carmine Gallo. A quel numero sono arrivate numerose richieste da parte di ditte che cercavano un vero tornitore specializzato. Ma sono anche arrivati parecchi SMS. Il primo arriva il 15 febbraio, alle diciannove e quarantacinque. Il testo è breve. È un numero.

«12.»

E allora l'ispettore Gallo chiama il professor Picozzi.

I due sono d'accordo. Sì. Potrebbe essere lui, l'assassino. E allora bisogna pensare bene cosa rispondere, perché se si riesce ad agganciarlo, magari solo per qualche battuta, può uscirne qualche indizio importante.

Ore 19.54: «La linea del tel può essere controllata solo

mex», solo messaggi, «potrei avere bisogno di te domani sera intorno alle 23 vicino al vekkio appiani. se t va Ripeto solo mex se no in mona».

Tra il poliziotto e lo psichiatra rimbalzano le telefonate. Se ha inviato quel messaggio, concordano i due, allora proviamo a rispondergli così: «come ci riconosciamo?».

Ore 20.16: «Dirigo io il gioco! A modo mio o niente. tribuna ospiti. sarò solo. non c sarà nex a quell'ora. c riconosceremo, accontentati».

Risposta: «ok gioco condotto da lei. mi interessa conoscerla. faccia capire con un particolare che lei è la persona giusta. la sua determinazione mi preoccupa. posso fidarmi?».

Ore 20.58: «Fidarsi è bene non fidarsi è meglio si dice... io non mi preoccupo mai sta in te devi giocare bene le tue carte (k-j-q-a) x l'incontro aspettiamo. ci vuole pazienza».

Risposta: «io desidererei incontrarla. aspetto un suo messaggio».

Ore 21.54: «sei molto curioso... la cosa è troppo improvvisata c vuole tempo. buona notte. ps la curiosità non porta a nulla ricordalo sempre!».

I messaggi vengono tutti da un cellulare. La polizia può cercare di rintracciare il numero, capire quali altri utenti ha chiamato e, attraverso le cellule cui si collega l'apparecchio, individuare la zona in cui si muove l'assassino.

Poi ci sono le telefonate fatte alle agenzie immobiliari per avere gli appuntamenti con i titolari. Sono chiamate fatte con una scheda telefonica, da un apparecchio pubblico che si trova all'ospedale di Noventa Vicentina. Ma anche le schede telefoniche lasciano una traccia, come una specie di impronta digitale elettronica. La stessa scheda che ha chiamato l'agenzia immobiliare La Gregoriana ha chiamato anche altre agenzie e un'altra persona, una donna, Antonella Gemmati.

Antonella è una signora di quarantacinque anni, originaria di Palermo. Vive a Mestre, in un condominio in via Paruta, assieme a un uomo, un signore sui cinquant'anni, alto, snello, con una barbetta bianca e un paio di occhiali da professore. Si chiama Michele Profeta.

Michele Profeta possiede una decina di cellulari, e da uno di quelli sono partiti i messaggi arrivati al numero indicato sugli annunci del «Corriere». È un elemento.

Ce ne vuole un altro. Prima di contattare le due agenzie immobiliari per il giorno 11 febbraio, un uomo aveva chiamato un'altra agenzia per vedere una casa. Voleva il titolare, ma all'appuntamento questi si era presentato con il suo socio e a quel punto l'uomo che li stava aspettando si era voltato ed era scappato via in fretta. La polizia si procura alcune foto tessera di Michele Profeta e le mostra ai due agenti immobiliari. Sì. Potrebbe essere lui l'uomo che è scappato via quella mattina.

Alle diciotto e quarantacinque del 16 febbraio, il capo della squadra mobile di Padova, Alessandro Giuliano, è in via Mario, vicino a Prato della Valle, proprio nel cuore di Padova. Con lui ci sono cinque agenti in borghese della mobile di Padova e anche di quella di Milano, che stanno tenendo d'occhio un uomo sulla cinquantina, barbetta bianca e occhiali da professore. Aspettano che l'uomo salga su una macchina e in quel momento, quando volta loro la schiena e non se lo aspetta, gli saltano addosso e lo bloccano. In fretta e con decisione, perché se è lui, se è l'uomo che ha ucciso Walter e il signor Pierpaolo, allora è un serial killer e potrebbe anche essere armato.

Non è armato, ma addosso a lui, e in seguito anche in macchina e in casa, la polizia trova molte cose interessanti. In macchina ci sono un normografo e un'agenda con dentro infilata una carta, un Re di Fiori. E a casa ha un mazzo da poker cui mancano proprio i quattro Re. Non solo. Ci sono fogli di carta da lettere identici a quelli inviati alla Questura di Milano e ci sono anche delle impronte sul suo portalettere, dei segni, che secondo gli esperti della polizia corrispondono alle tracce lasciate dalla penna che ha scritto la terza lettera, quella che diceva che l'omicidio di Walter non era una rapina.

E poi c'è la pistola. La piccola Iver and Johnson calibro 32 a tamburo, con la quale, sempre secondo gli esperti, sarebbero stati uccisi il tassista e l'agente immobiliare.

E l'alibi. Michele Profeta dice che il giorno dell'omicidio di Walter lui era a casa, con la sua convivente. Ma la signora Antonella nega. No, quel giorno lui a casa non c'era.

È abbastanza, per la procura. Michele Profeta viene accusato di due omicidi e finisce rinchiuso nel carcere Due Palazzi di Padova. Da dove nega decisamente ogni addebito. E cerca di scappare. Di notte si chiude nel bagno della sua cella e cerca di segare le sbarre. Ma poi, durante un controllo di routine, gli agenti di custodia si accorgono delle sbarre parzialmente tagliate, fanno una perquisizione nella cella di Michele e trovano due limette, una sotto il materasso e l'altra nella custodia degli occhiali. Michele viene trasferito a Voghera, in un altro carcere.

Ma chi è Michele Profeta? Un assassino? Un estorsore? Un serial killer?

Secondo il professor Vittorino Andreoli, che fa una consulenza psichiatrica per conto della difesa, Michele Profeta non è un serial killer nel senso classico. Ma non agisce certo per denaro… «Il denaro è una spinta, ma si perde all'interno del delirio e non si può affermare che abbia ammazzato per i dodici miliardi, proprio perché la stessa richiesta rivolta al questore, e di quella entità, non dava reale possibilità di essere perseguita.»

Non è proprio un serial killer, Michele Profeta, ma quasi, «presenta modalità liturgiche che di solito sono interpretate come parte di un linguaggio e di un pensiero non coerente con la logica razionale, bensì con quella magica e

stanno a indicare che la mente è dominata da considerazioni, principi e obbiettivi che mancano del riferimento
comune e certo del riferimento della normalità».

Negli incontri con il professor Andreoli, Michele Profeta parla molto di se stesso. Racconta la sua storia e lo fa
con un linguaggio preciso e ricercato, nel quale ogni tanto
lascia cadere una citazione latina o una parola greca, come
se volesse apparire molto colto. La sua mimica e la sua ge-
stualità sembrano «intonate a un atteggiamento di suffi-
cienza e di delicata *grandeur*». È contento che sia andato a
trovarlo un criminologo della fama del professor Andreoli, che appena entra nella sua cella al carcere di Voghera
ha la netta impressione di essere lui quello che viene cor-
tesemente ricevuto in grazia di quell'uomo che, nonostante sia in carcere accusato di due omicidi, sembra non sentirsi affatto in uno stato di inferiorità.

«Mi accorgo che il suo Io ideale grandioso si è levato a
tali dimensioni empiree da non poter nemmeno considerare un Io attuale, legato a questo mondo e alle sue miserie.»

Michele Profeta racconta la sua storia. Nasce a Palermo,
da una famiglia benestante della buona borghesia sicilia-
na. Ha un fratello di due anni più grande, un padre che ri-
copre un incarico pubblico e una madre molto presente.
Frequenta il liceo classico e si iscrive a Giurisprudenza,
anche se preferirebbe entrare all'accademia della Nun-
ziatella e intraprendere la carriera militare. Intanto frequenta le palestre, arti marziali: judo, aikido e karate, discipline in cui è bravissimo, cintura nera e di più, quarto e
quinto dan.

Conosce una ragazza, Adriana, con la quale si sposa e
ha due figli. Ma il matrimonio non funziona, Adriana e
Michele Profeta si separano subito e quei due figli praticamente non li vede mai. Intanto, però, ha interrotto l'università e ha trovato un lavoro. In una società immobiliare.

Conosce un'altra donna, Concetta, e nel 1979 si risposa,

e ha altri due figli. Ma non va bene neanche quel matrimonio. Questa volta non si separa dalla moglie, resta con
lei e con i figli, almeno formalmente, anche quando si in-
namora di Antonella. Antonella Gemmati è la segretaria
di Michele, ha sette anni meno di lui e dal 1986 diventa la
sua fidanzata. Due relazioni, una indipendente dall'altra,
Concetta e i due bambini, Antonella, senza che nessuna
famiglia sappia dell'altra o abbia il minimo contatto. In un
certo senso le famiglie sono tre, perché Adriana non la vede più, ma le deve passare comunque cinquantamila lire
di alimenti.

Il lavoro non va male. L'agenzia immobiliare rende e
Michele pensa di fare un salto di qualità e mettersi in proprio, assieme a un socio. La cosa però non funziona. Ci sono problemi con alcuni clienti che gli fanno causa per riavere la caparra data per alcune case che non vogliono più
comprare. Profeta ritiene di avere ragione, ma il tribunale
gli dà torto e lui la vive come una profonda ingiustizia.
Poi c'è un brutto colpo. Un affare promozionale che va
male. E a dare il colpo di grazia all'agenzia è una società
di tassisti, che rivogliono indietro i soldi di una sponsoriz-
zazione. La ditta fallisce e il socio, a cui è intestato tutto,
butta fuori Michele, che si trova sul lastrico e riesce a so-
pravvivere solo grazie ai soldi che gli passa una zia.

Michele ci riprova. Apre un'altra ditta con un altro pre-
stanome e si mette anche in mano agli usurai, a cui deve
pagare interessi del dieci per cento. Non è una bella situazione, le cambiali scadono, i soldi mancano e per cercarli
Michele va anche al casinò, a giocare. A carte.

Nel 1996 decide di lasciare Palermo e andare al Nord,
dove i suoi problemi economici non sono noti. Si sposta in
Veneto con tutta la famiglia, con tutte e due le famiglie,
quella con Concetta e quella con Antonella, che sistema in
due città diverse, a Adria e a Mestre. E trova lavoro a Padova, in un'agenzia immobiliare.

Ma non funziona neanche lì. All'inizio le cose sembrano andar bene, Michele ha uno stipendio che si aggira attorno ai cinque milioni di lire e riesce a tenere in piedi la sua situazione economica. Poi si scoprono i suoi precedenti penali, i suoi problemi economici, le cambiali in protesto, e da un giorno all'altro Michele viene licenziato. Non solo. C'è una condanna che passa in giudicato e la pena è un certo periodo di lavoro gratuito per i servizi sociali. Michele non vuole andarci, non si presenta e lo devono andare a prendere i carabinieri.

«Da una parte la maniacalità, la tendenza alla grandiosità, a presentarsi con caratteristiche di perfezione, di grande intelligenza e di una noblesse ... Dall'altra una realtà concreta al limite non solo con la frustrazione, ma con il fallimento che in alcune occasioni ha poi raggiunto.»

Michele ha bisogno di soldi ed è costretto a lavorare gratis. È sicuro di essere destinato a una brillante carriera nel settore finanziario ma intanto è costretto ad accettare l'incarico di distribuire la pubblicità per un'agenzia immobiliare, assieme ai ragazzi che infilano i volantini nelle cassette delle lettere e sotto i tergicristalli delle macchine ferme nei parcheggi. Non solo, anche il fisico comincia a lasciarlo, quel fisico allenato dalle arti marziali. Accusa dolori al petto, una specie di angina che poi diventerà una cardiopatia circolatoria abbastanza grave. Ma lui non è così. Non è quello. Lui è Michele Profeta, uno che legge libri di filosofia e di religione, che pratica le arti marziali ai massimi livelli, che potrebbe uccidere con una mano se solo lo volesse. È un genio del settore immobiliare che dovrebbe avere ben altre preoccupazioni, di carattere spirituale e non materiale.

«È come se si fossero instaurate due vite parallele: quella nello spazio e nel tempo e quindi nel concreto, e un'altra invece nello spazio mentale, nei desideri, nel voler essere. Un mondo fatto di eccellenza, di problemi alti, di religioni e di relazione con Dio, di un uomo di grande successo e di possibilità di imporsi e di sottomettere perfino il mondo. Una via in cui trova posto anche il delirio.»

È l'inizio di gennaio del 2001 quando Michele trova lavoro presso un'agenzia immobiliare che ha bisogno di qualcuno che distribuisca i volantini. Gennaio 2001.

«Proprio da questo fondo, da questo io attuale, scatta il delirio. Non più una condizione di compenso ideale, ma un vero delirio maniacale, come risposta patologica a quella condizione apocalittica. E il comportamento che ne segue è un delirio, anzi una catastrofe delirante in cui lui è potente, anzi, un onnipotente. Da colui che subisce, si trasforma nell'eroe che sfida il mondo.»

Due omicidi. E quel riscatto chiesto al questore di Milano. Dodici miliardi di lire.

«Da questa analisi e dalla ricostruzione dinamica dei fatti, risulta che Michele Profeta è affetto da disturbo maniacale e che nel momento in cui ha architettato e commesso i due omicidi egli era in condizioni di vero delirio maniacale.»

Nei suoi colloqui al carcere di Voghera, Michele Profeta ammette gli omicidi e ne racconta la dinamica. Ma poi cambia idea. Il professor Andreoli è un consulente della difesa e la sua diagnosi che prevede l'infermità mentale di Michele Profeta non convince l'accusa, così il pubblico ministero Paolo Luca affida una consulenza di parte ad altri due psichiatri. Viene nuovamente chiamato in causa Massimo Picozzi, e accanto a lui il professor Adolfo Francia.

È a loro che Michele Profeta nega di aver mai ammesso gli omicidi. Afferma anzi che il professor Andreoli ha capito male, lui ha raccontato le sue impressioni e forse sono state interpretate in modo distorto. Se ha sparato a qualcosa è stato a dei cani randagi di passaggio. E se si trova in galera è solo per sfortuna, gliene sono andate storte tante nella vita, gli è andata storta anche quella di essere accusato ingiustamente. E no, non ha ucciso qualcuno e poi se lo è dimenticato, non si può dimenticare una cosa del genere. Se dice che non l'ha fatto è perché non l'ha fatto, punto e basta.

Picozzi e Francia arrivano a conclusioni del tutto diverse da quelle di Andreoli. Per loro Michele Profeta presenta solo un disturbo di personalità, con tratti istrionici e narcisistici. Ed è pienamente capace di intendere e di volere.

Il processo a Michele Profeta inizia il 22 marzo 2002 presso la Corte d'Assise di Padova. Appare subito abbastanza chiaro che è stato lui a uccidere Walter e il signor Pierpaolo. Oltre agli indizi che gravano su di lui adesso ci sono anche alcune certezze, come la perizia balistica che ha comparato le tracce di polvere da sparo sul tetto dell'auto del taxista con quelle ritrovate sulla giacca e sui guanti di Michele Profeta, trovandole uguali. Lui, tra l'altro, cerca anche di discolparsi accusando un altro, un sosia, che avrebbe ucciso al posto suo. Il problema è se Michele sia in grado di intendere e di volere, oppure no, ma ai giudici e alla giuria di questo primo processo non serve un'altra perizia, bastano le due consulenze.

La sentenza arriva il 23 maggio di quell'anno, dopo quattordici udienze e sei ore di camera di consiglio. Michele Profeta viene condannato all'ergastolo per gli omicidi di Pierpaolo Lissandron e Walter Boscolo.

Al momento della lettura della sentenza Michele non è presente in aula.

Il 17 luglio 2003 la Corte d'Assise d'Appello di Venezia conferma la sentenza, dopo un'altra perizia psichiatrica. Anche i nuovi specialisti chiamati in campo confermano che il killer non soffre di un grave disturbo mentale. Michele Profeta, concludono, è un soggetto pienamente capace di intendere e di volere.

Michele Profeta resta nel carcere di Voghera fino al 16 luglio 2004. Quel giorno viene portato a San Vittore, e chiuso nella sala degli avvocati assieme a una commissione d'esame dell'Università di Milano, perché si è iscritto alla facoltà di Lettere e Filosofia e deve sostenere Storia della filosofia. Ha appena cominciato a rispondere alle prime domande che comincia a sentirsi male. Il cuore, quella cardiopatia che gli è stata diagnosticata da un po' di tempo. Non c'è niente da fare. Viene chiamato il medico di guardia dell'infermeria del carcere ma quando arriva Michele Profeta è già morto.

Michele Profeta. Un serial killer.

E chi sostiene che ha fatto di tutto per farsi catturare, che gli errori che ha commesso sono troppi per non pensarlo, non conosce nulla delle indagini.

Perché senza il lavoro frenetico e geniale degli investigatori, Michele Profeta avrebbe continuato a uccidere.

Nuove tecnologie sulle tracce dell'assassino

Si chiamano ICTs, *Information and Communication Technologies*, e sono le nuove tecnologie dell'informazione e della comunicazione. Il loro impiego nella lotta al crimine e al terrorismo è già oggi fondamentale e destinato a crescere di importanza nel prossimo futuro.

Applicate al campo della biotecnologia o dell'analisi del DNA portano a indiscutibili vantaggi, ma il loro valore aggiunto lo troviamo in settori specifici come nella gestione dell'identità personale, nel settore delle intercettazioni e della sorveglianza, nel recupero dei dati e del loro collegamento, nelle metodologie di localizzazione e di tracciamento di un obiettivo.

Gli attentati dell'11 settembre hanno mostrato come quello della sicurezza sia un problema vitale, e che innanzitutto va riservata un'attenzione particolare al controllo delle frontiere, dei flussi migratori e, ovviamente, dell'identità dei passeggeri nel trasporto aereo. Questo ha portato a una prevedibile accelerazione della ricerca in un campo specifico delle ICTs, le Identity Related Technologies, le tecnologie correlate al tema dell'identità, e negli studi biometrici che ne costituiscono la base.

La biometria, dal greco *bios*, «vita», e *metros*, «misura», è l'insieme delle tecniche di identificazione automatica e di verifica dell'identità di un soggetto. La biometria fisica si occupa delle metodologie di riconoscimento di parti del corpo umano come le impronte digitali, il volto, l'iride, la retina o la morfologia della mano, mentre la biometria comportamentale si riferisce ad aspetti quali l'andatura di un soggetto, la sua voce, la calligrafia. Elementi, quelli comportamentali, che certo sono meno oggettivabili, possono modificarsi e non sono facili da misurare.

Riconoscere un individuo attraverso identificativi biometrici è indispensabile in due situazioni: nel controllo dell'accesso fisico da parte delle sole persone autorizzate e nel controllo dell'accesso logico, quando cioè bisogna accertare che il soggetto abbia la titolarità per usufruire di una particolare risorsa informatica. Qui la biometria risolve la debolezza delle password, relativamente facili da violare, trasformando il corpo stesso dell'individuo in una password.

Ma capire l'importanza della disciplina non significa che non ci siano problemi da affrontare e risolvere, anzi. A cominciare dalla scelta del metodo di identificazione più valido, che deve tener conto di tre fattori: innanzitutto la parte del corpo da misurare deve essere affidabile e unica. Poi c'è il costo della tecnologia, e ancora bisogna verificare quanto il cittadino percepisca questo procedimento come invasivo del proprio spazio privato.

La rilevazione delle impronte digitali rimane certamente la tecnica più antica, consolidata ed efficace, e poi ha un costo contenuto, ma presenta un punto debole. Nell'immaginario della gente è legata al mondo dei criminali e delle indagini di polizia, e finisce così per stimolare quel fondo di paranoia, non troppo nascosto, che è nella mente di molti.

La forma e l'ampiezza della mano, con la lunghezza delle dita, permettono la ricostruzione di un'immagine tridimensionale. Il metodo non è invasivo, ma il costo è purtroppo elevato.

L'iride a sua volta si presta molto bene al fine dell'identificazione, perché è unica e immutabile, ma anche in questo caso la tecnologia hardware prevede un grosso impegno economico, e poi non può essere utilizzata con tutti quelli che soffrono di una grave patologia agli occhi.

A loro volta i sistemi di riconoscimento del volto presentano un grande pregio e un grande difetto. Sono i più accettati perché non sono invasivi e ricordano il tradizionale confronto con l'immagine in fotografia, ma purtroppo misurano una struttura, quella del viso, i cui tratti possono cambiare drasticamente per un incidente, un intervento chirurgico o una malattia debilitante, e poi risentono del trascorrere degli anni e dell'invecchiamento. Senza contare che possono essere ingannati da qualunque individuo con una buona capacità di camuffamento.

La lettura della retina con periferiche di scansione è una delle metodologie di identificazione più valide, anche se ha un costo elevato. Ma anche in questo caso c'è un problema, ed è un problema di privacy. Nell'esaminare il fondo dell'occhio, lo scanner può anche scoprire i segni di una malattia, e quindi invadere pesantemente la sfera personale.

Dai polpastrelli alla retina, lasciando da parte i metodi ancora meno definiti della biometria comportamentale, è facile capire come siamo ancora lontani dall'avere identificato la tecnologia ideale e, soprattutto, accettata da tutti.

Ma, sempre nel campo delle ICTs, ci sono altri settori che hanno registrato uno sviluppo importante nella lotta contro il crimine e nella prevenzione degli attentati terroristici. Parliamo di *tracking*, di *tracing* e di *location*.

Con il termine *tracking*, «seguire una pista», si intendono le tecnologie che permettono di anticipare e poi seguire il tragitto compiuto da un oggetto o da una persona. Si tratta di un'attività che avviene in tempo reale, a differenza del *tracing*, «tracciare», dove il percorso è ricostruito a posteriori.

Quanto al concetto di *location*, «localizzazione», possiamo avere due diverse situazioni. La prima consiste nello stabilire la posizione fisica di un oggetto attraverso un sistema di identificazione a radiofrequenza che in precedenza è stato incorporato o collegato allo stesso oggetto. Nella seconda situazione invece si localizza la posizione di un soggetto sfruttando i dispositivi che sta utilizzando, come un apparecchio telefonico, soprattutto il cellulare.

Siamo abituati a pensare ai cellulari come a un mezzo di comunicazione irrinunciabile, ma bisogna anche sapere che, quando sono accesi, possono essere localizzati con l'approssimazione di poche centinaia di metri, anche se in quel momento non sono utilizzati per una conversazione. Infatti i cellulari «dialogano» sempre con le stazioni base, le centrali radio che ricevono e trasmettono il segnale mantenendo la comunicazione all'interno di un dato raggio, un'area geografica ridotta chiamata «cella». Quando l'apparecchio è impegnato in una comunicazione, i messaggi sono trasmessi attraverso onde radio, altrimenti trasmette comunque un breve messaggio ogni trenta minuti circa, un messaggio che contiene il numero di serie del cellulare e permette di verificare se ci sia un movimento, se chi sta usando quel telefono passa da una cella a quella confinante e poi a un'altra ancora.

E se entriamo nel campo dei delitti e delle indagini, basta collegare i dati che provengono da un'utenza telefonica a quelli di uno sportello bancomat, al passaggio a un casello dell'autostrada e alla carta di credito usata al ristorante, per avere quella che gli investigatori chiamano una pista telematica, rintracciabile a distanza di parecchi mesi, se non di alcuni anni.

Sono indagini nuove, moderne, le potremmo definire high-tech, come quelle che hanno permesso di far luce sull'omicidio del professor Marco Biagi, assassinato dalle Brigate Rosse a Bologna il 19 marzo 2002.

È trascorso quasi un anno dalla morte del professor Biagi, e sul treno che porta da Arezzo a Roma, alla richiesta dei documenti per un controllo, Nadia Lioce e Mario Galesi, brigatisti, iniziano a sparare. Galesi ha la peggio, e con lui perde la vita l'agente di polizia Emanuele Petri.

Tra gli oggetti che la Lioce ha con sé gli investigatori trovano indizi importanti. Due computer palmari (marca Psion tipo mx5), innanzitutto, e nella memoria flash, non coperta da password, ci sono centosei file, appunti e documenti che raccontano la storia delle nuove BR, uno schema della loro organizzazione e le sigle di una ventina di membri del gruppo. Inoltre ci sono un orario del treno, un floppy disk, un pacchetto di Marlboro vuoto che nasconde al suo interno una microcamera digitale, dei foglietti a quadretti con numeri di telefono e nomi, oltre a effetti personali.

Gli uomini della DIGOS trovano anche una scheda prepagata, o STP, di quelle che si usano nelle cabine telefoniche, e un biglietto da visita della società Graphocart-Strabilia che si occupa della manutenzione dei palmari. E qui si scopre che Nadia Lioce ha commesso un'ingenuità imperdonabile. Nel negozio in cui ha portato a riparare un apparecchio ha lasciato il suo numero di cellulare 338....955, ora disattivato, ma che diventerà, nel corso delle indagini, il perno dell'operazione.

La scheda di quel telefono è intestata a una certa Luisa Mainetti, uno dei suoi nomi inventati, che ha effettuato e ricevuto chiamate da altri cellulari, da utenze mobili e da cabine telefoniche collegate alle indagini di un altro delitto commesso dalle Brigate Rosse, quello di Massimo D'Antona, ucciso a Roma, in via Salaria, il 20 maggio 1999.

Con i tabulati telefonici alla mano si scopre che il possessore del numero 333....048 ha chiamato spesso un altro cellulare, e poi altri ancora, fino a identificare diciotto apparecchi. In mezzo a questi c'è anche il numero che la Lioce ha lasciato nel negozio Strabilia.

I cellulari si collegano solo fra di loro, oppure vengono chiamati da cabine telefoniche con schede prepagate. Gli investigatori li definiscono «cellulari di organizzazione», o «schede di teatro», perché vengono esclusivamente utilizzati nei teatri d'operazione e poi disattivati per lunghi periodi. Questi, in particolare, sono attivi nel periodo che va dal 1999 al 2003, mentre l'uso delle schede avviene soprattutto tra il 1999 e il maggio 2000.

La ricostruzione dell'attentato a Massimo D'Antona attraverso la lettura della pista telematica è agghiacciante. Da settanta cabine telefoniche quarantasei schede prepagate si collegano con i cellulari di organizzazione, tra cui anche quello con numeri finali 955. Testimoniano un pedinamento che inizia nel gennaio 1999 e termina a maggio, facendosi via via più serrato.

Poi il silenzio.

Torniamo all'assassinio di Marco Biagi. Qualche mese prima del delitto, alcuni membri delle Brigate Rosse acquistano un cellulare, senza naturalmente fornire la propria identità, e tra l'ottobre e il dicembre 2001 una scheda prepagata, che non usano fino all'inizio di marzo. Due settimane prima dell'omicidio, il 4 marzo, si recano in un Internet caffè di Roma, dove aprono una casella di posta elettronica, e configurano il PC portatile con la scheda 329....270, che verrà attivata solo il giorno dell'omicidio.

La sera dell'omicidio, infatti, pochi minuti prima dell'aggressione e nelle vicinanze del luogo scelto per l'agguato, un brigatista accende il cellulare comprato mesi prima, e chiama il proprio gestore telefonico. Il segnale viene raccolto e registrato nella stazione base che copre l'area di via Valdonica, a Bologna, dove Biagi morirà.

Il giorno successivo la casella di posta elettronica aperta due settimane prima viene attivata con il numero della scheda telefonica 329....270@inwind.it e utilizzata per inviare il messaggio di rivendicazione a cinquecentotrentatré indirizzi e-mail memorizzati in precedenza su un floppy disk.

Il tutto, evidentemente, con lo scopo di rendere pienamente attendibile la rivendicazione. Infatti, con la firma digitale i falsi diventano praticamente impossibili. Per rintracciare il percorso della mail viene coinvolto in veste informale l'esperto di informatica Michele Landi.

Il 4 aprile 2003 Landi viene trovato impiccato nella sua casa di Guidonia. Sembra un suicidio, ma in realtà è una tesi che non convince affatto.

Ancora oggi.

Cellulari, schede telefoniche, ma anche mail e PC, obbligano gli investigatori a nuove specializzazioni. Non si parla più solo di CSI, ma di ECSI, Electronic Crime Scene Investigation, dove un computer può essere utilizzato per commettere un crimine, può contenere informazioni di un crimine, oppure essere lui stesso il bersaglio di un'attività criminosa.

Non più impronte e testimoni, cadaveri e Luminol, ma tracce elettroniche, vale a dire dati, informazioni di valore investigativo contenute o trasmesse da un dispositivo elettronico. Con delle caratteristiche particolari, come quelle di essere spesso latenti quanto un'impronta digitale, di poter facilmente e velocemente superare ogni delimitazione, di essere fragili, e perciò facilmente alterate, danneggiate e distrutte, di essere talvolta legate allo scorrere del tempo e scomparire se non fissate.

E le caratteristiche particolari prevedono protocolli specifici di intervento sulla scena. Il primo passaggio è quello della ricognizione e della identificazione delle tracce, che poi devono essere documentate, raccolte e preservate, e, da ultimo, confezionate per il trasporto in laboratorio. Senza mai dimenticare l'aspetto legale. La modernità di questo tipo di indagini si scontra spesso con una legislazione superata, e prima di rischiare che quello che si è scoperto non possa essere poi utilizzato in un'aula di tribunale, bisogna essere in possesso di tutte le autorizzazioni necessarie.

Abbiamo detto dei computer, con il loro contenuto, dai file di backup a quelli nascosti, di sistema o temporanei, dai cookies alle informazioni cancellate, ma i dispositivi elettronici che potenzialmente possono fornire tracce investigative determinanti sono ormai numerosissimi. Ci sono le segreterie telefoniche e le fotocamere digitali, i modem e le agende elettroniche, i fax, le stampanti e, naturalmente, i telefoni, fissi, cordless e cellulari.

In un appartamento, un ufficio, un esercizio commerciale, in ogni luogo dove è in corso un'indagine, occorre prima di tutto osservare e documentare. Per esempio la posizione di un mouse può rivelare se chi lo usa è destrimano oppure mancino. E poi, il computer è spento o acceso? Alcune macchine hanno una spia luminosa che indica l'attività, mentre in altri si avverte il rumore della ventola di raffreddamento. E se il box è ancora caldo significa che l'apparecchio era in uso fino a poco tempo prima. Quali sono le periferiche collegate, e quali quelle staccate?

L'investigatore della scena del crimine deve raccogliere una ripresa video a 360 gradi, e poi pensare agli scatti fotografici, dell'ambiente in generale e poi frontalmente alla postazione di lavoro, quindi fissare quello che appare sul monitor.

Bisogna bloccare qualunque accesso esterno al PC, isolandolo da eventuali linee telefoniche, perché i dati possono essere accessibili e quindi modificabili anche a distanza. Se il computer è spento, non deve essere acceso o, se è in funzione, dopo aver verificato che non sia collegato in rete locale e avere documentato le informazioni sullo schermo, bisogna staccare tutte le sorgenti di alimentazione. Inoltre si deve fare attenzione agli oggetti e agli strumenti capaci di generare campi elettromagnetici, come per esempio i trasmettitori radio.

In laboratorio, rintracciate le informazioni interessanti, è probabile che ci si debba scontrare con il problema della protezione e dei sistemi di cifratura che impediscono di accedere ai dati.

Un file cifrato rimanda all'algoritmo utilizzato, e una volta scoperto questo, alla chiave, alla password necessaria per avere accesso. E a questo punto ritornano per un attimo i classici sistemi investigativi. Bisogna scoprire tutto del soggetto che ha cifrato i file, la sua data di nascita, l'indirizzo, il nome della moglie e dei figli, il numero di telefono. Infatti l'esperienza suggerisce che molto spesso vengono utilizzate proprio delle sequenze numeriche o alfabetiche facili da ricordare. Quando queste sono in qualche misura modificate e camuffate, si può ricorrere a programmi appositamente scritti, i *password crackers*, capaci di bombardare la richiesta di una password con decine di varianti a partire dalle sequenze ipotizzate.

Saper cercare.

Vale per qualunque traccia fisica, ma ancor più per le tracce elettroniche, e quando un computer è collegato a una rete, eccoci proiettati in quel mondo complesso che è il *cyber-space*, dove i crimini commessi non possono che essere *cyber-crimes*.

Un ecosistema biolettrico che esiste dove ci sono telefoni, cavi coassiali, fibre ottiche oppure onde elettromagnetiche, questo è il cyberspazio, creato dall'uomo, impossibile da definire nella sua grandezza, ma, di fatto, un universo in costante espansione. I suoi abitanti sono le idee, le informazioni, la conoscenza, e il suo patrimonio è pubblico. Nessuno lo possiede o vi agisce sottoposto a qualche autorità centrale. Per questo c'è chi dice che ha reso obsoleta ogni forma di governo, e poi a livello economico può svilupparsi all'infinito e a costo zero.

Potenzialità immense, ma anche un nuovo mondo per il crimine, dove i computer possono essere l'obiettivo, per ottenere l'acquisizione illegale di informazioni o per danneggiare le informazioni registrate, oppure il mezzo per commettere un delitto.

Le truffe via Internet prendono le forme della falsa pubblicità, dell'appropriazione dei dati di una carta di credito. Ma sulla rete è anche possibile gestire il commercio e la vendita di sostanze stupefacenti e di armi, oppure riciclare denaro sporco.

Basta un modem e una connessione, e un assassino può scegliere la sua preda.

John Edward Robinson Senior vanta un discutibile primato, quello di essere stato definito il primo «Internet serial killer» della storia.

Nato a Cicero in Illinois nel 1943, si distingue da bambino e poi da ragazzo per essere uno studente brillante e popolare. All'età di vent'anni si diploma come tecnico di radiologia, si sposa, e si trasferisce con la moglie a Kansas City.

Ma i suoi guai iniziano presto, e nel 1967 si appropria indebitamente di 33.000 dollari, sottraendoli allo studio dove lavora. Tre anni di condanna e libertà sulla parola.

Da qui inizia un interminabile e sconcertante alternarsi di buoni giudizi sul suo recupero sociale, furti, appropriazioni e licenziamenti in tronco.

Robinson è un vero camaleonte, e nel 1977 con la moglie e quattro figli si sposta nella Johnson County, dove viene proclamato «uomo dell'anno» per la sua attività di volontariato con i portatori di handicap.

Nel 1984 Paula Godfried, una sua giovane impiegata, scompare nel nulla. Qualche tempo dopo la polizia riceve una lettera, apparentemente scritta dalla donna, in cui ella dichiara di star bene. È quasi certo sia la prima vittima di Robinson ma di lei, ancora oggi, non si sa niente.

Nel dicembre dello stesso anno Robinson si propone alle strutture sanitarie di Kansas City come il responsabile di una società che ospita e colloca al lavoro giovani ragazze madri. Lisa Stasi, diciannove anni, è la prima ospite, e immediatamente sparisce lasciando un biglietto di scuse per la repentina partenza, dovuta a cause che non spiega, diretta a una destinazione che non indica.

Nel frattempo l'uomo ha messo in piedi un'altra iniziativa, ha organizzato un circolo di prostituzione a forte impronta sado-masochistica. Ma incappa ancora nelle maglie della legge e viene condannato al carcere nel gennaio del 1986. Problemi burocratici ritardano il suo ingresso in penitenziario fino al maggio dell'anno dopo, e nel frattempo scompare un'altra donna. Si chiama Catherine Clampitt, ha ventisette anni e si è mossa dal Texas perché Robinson le ha promesso «un grande lavoro, tanti viaggi e un guardaroba tutto nuovo».

Il detenuto Robinson naturalmente appare «un modello di comportamento», e anzi sviluppa un software per la gestione dati che permette all'amministrazione penale dello stato del Kansas di risparmiare 100.000 dollari l'anno.

E naturalmente ottiene la libertà anticipata sulla parola nel 1993.

Beverly Bonner sparisce nel gennaio 1994, dopo aver divorziato dal marito ed essersi messa in viaggio per incontrare John Edward Robinson. A luglio stessa sorte per Sheila Faith, che ha lasciato il Colorado con la figlia costretta in carrozzina da un handicap proprio per conoscere l'uomo dei suoi sogni.

È a questo punto che l'uomo scopre le infinite potenzialità della rete, la possibilità che il cyberspazio gli offre di contattare nuove vittime. Qualche ingenuo ci rimette solo dei soldi, affidati per investimenti fraudolenti, ma della giovane Izabel Lewicka, una matricola alla Purdue University a cui Robinson ha garantito un internato presso una non meglio precisata sua struttura, non si sa più nulla dall'agosto del 1999.

L'ultima vittima conosciuta è la ventisettenne Suzette Troutman, un'infermiera di Detroit, di cui si hanno notizie fino al 1° marzo del 2001. Anche a lei, contattata sul web, è stato promesso «uno stipendio generoso e opportunità uniche di crescita professionale».

Nel frattempo la polizia riesce a costruire una solida accusa per violenza sessuale nei confronti di Robinson e, con un mandato di perquisizione alla mano, fa irruzione nella sua casa. Ci trova cinque computer, immagini pornografiche, oggetti appartenenti alle ultime due donne scomparse, fogli di carta da lettera e l'ultima ricevuta del motel di Lisa Stasi.

Gli investigatori non si fermano, e setacciano la fattoria di Robinson, dove scoprono due grossi bidoni con dentro i cadaveri di Izabel Lewicka e Suzette Troutman. Le vittime sono state massacrate a colpi di martello.

Due giorni dopo si scopre che l'uomo ha preso in affitto una struttura a Cass County, nel Missouri, dove ha scaricato altri tre grossi bidoni d'olio. Dentro ci sono i corpi di Beverly Bonner, Sheila Faith e di sua figlia.

John Edward Robinson Senior si trova oggi nel braccio della morte, ospite del penitenziario di Kansas City.

Alla periferia di Bari

Bari, 28 novembre 1997, le otto di sera.

L'auto, una Fiat Uno, è parcheggiata in aperta campagna, una zona isolata e lontana dal traffico delle strade.

Al volante c'è un uomo. È un uomo sovrappeso, vestito di tutto punto con tanto di soprabito. Ma soprattutto è morto.

Motore spento, cofano freddo, chiavi inserite nel blocco d'accensione e girate sull'off, finestrini chiusi e portiere bloccate dall'interno. Non sembra esserci nulla di danneggiato, nulla di rotto, nulla di strano. Per quanto riguarda la macchina.

Non per l'uomo, invece, visto che tutto intorno alla sua testa girano più strati di nastro adesivo da pacchi che gli coprono completamente bocca e naso, passano sopra le orecchie e finiscono dietro, sulla nuca.

Quando lo trovano il *rigor mortis* è già iniziato e le ipostasi, dovute al sangue che si concentra nelle zone più declivi del corpo, ancora impallidiscono alla pressione di un dito. Segni compatibili con una morte sopraggiunta mentre l'uomo era seduto al volante.

Sul tavolo delle autopsie il medico legale prosegue l'ispezione, fotografando ogni passaggio. Naturalmente la sua attenzione va al nastro adesivo, perché scopre che in realtà le strisce sono due. Una è avvolta in senso orario, per sei volte. L'altra, sopra la prima, fa nove giri intorno alla testa, partendo dalla bocca e finendo incollata a una guancia.

Ma com'è morto quell'uomo, che nel frattempo hanno identificato come uno della zona, di sessantasei anni?

Ci sono poche petecchie, piccole emorragie grandi come la capocchia di uno spillo, in tutte e due le sclere, il bianco degli occhi. E sezionando il cadavere se ne trovano anche sulle pleure e il pericardio, insieme a un edema cerebrale e alla congestione acuta dei vasi sanguigni di molti organi.

Nello stomaco 80 cc. di cibo, già ampiamente digerito. Il medico legale mette insieme tutti i dati e stabilisce che la morte è avvenuta per soffocamento, proprio per l'azione meccanica di quel nastro che ha bloccato le vie respiratorie. E il momento del decesso è da stabilire tra diciotto e ventiquattr'ore prima della scoperta.

Passa l'informazione agli investigatori che ricostruiscono le ultime ore di vita dell'uomo. Era uscito di casa alle quattro del pomeriggio del 27 novembre, dopo un pasto leggero, e aveva lasciato lì tutti i suoi effetti personali.

Il fatto che il corpo non presenti segni di violenza, come se l'uomo non avesse opposto nessuna resistenza, fa ipotizzare che potrebbe essere stato drogato prima di essere ucciso. I campioni per l'esame tossicologico partono subito per il laboratorio, perché per questo tipo di analisi, si sa, ci vuole del tempo.

Intanto, però, si esamina un'altra ipotesi. Si scopre che l'uomo, in passato, aveva sofferto di depressione, fino al punto di dire che in fondo sarebbe stato meglio per lui morire. Ma come può essere un suicidio? In quel modo, troppo complicato, difficile da realizzare, e in fondo eccessivo e un po' bizzarro?

Si torna ad analizzare la scena.

L'uomo aveva in mano un rotolo di nastro adesivo del tutto simile a quello che gli copriva la faccia. E in una tasca della portiera c'era un coltello da cucina che, esaminato in laboratorio, aveva mostrato tracce di colla e frammenti di scotch.

Tutte le impronte digitali sul nastro, sul coltello e all'interno dell'auto appartenevano solo al morto, e a nessun altro.

Magari è stato drogato, tornano a pensare gli investigatori. Ma il referto del laboratorio di tossicologia, quando arriva, parla chiaro: niente alcol, niente droghe, niente farmaci.

Il magistrato che indaga non può accontentarsi di ipotesi, di supposizioni, e allora si decide di procedere a una vera e propria sperimentazione, una simulazione che spieghi quello che è successo.

Cinque adulti, volontari e in buona salute. A loro si dice di prendere un nastro da pacchi, tagliarlo, e avvolgerlo intorno alla propria testa coprendo naso e bocca. Per quindici volte. Ci impiegano da 40 a 50 secondi, e nessuno sta male, nessuno perde conoscenza.

E alla fine, per quanto eccessiva e bizzarra, la spiegazione della morte è solo una: suicidio. Dopo i primi giri di nastro, l'uomo si era accorto che un poco d'aria passava ancora. E allora aveva deciso di raddoppiare con un secondo strato. Poi aveva perso conoscenza. Poi il suo cuore si era fermato.

L'inchiesta è finita. Tracce, indizi, prove, specialisti e investigatori, tutti insieme per stabilire che in questa morte non c'entrava un assassino, ma l'abbraccio mortale di una disperazione senza fine, l'atto finale di una malattia che ti toglie la speranza e che si chiama depressione.

Ecco perché le scienze forensi sono così importanti, perché aiutano ad arrivare a una verità che forse, con la sola investigazione tradizionale, non si riuscirebbe a raggiungere. Ma c'è un rischio, quello di sganciare la tecnologia dal controllo dell'uomo, dimenticando che dietro a ogni analisi ci deve essere sempre l'interpretazione e l'esperienza di un investigatore, la cui intuizione non può essere ridotta a schemi, formule e manuali.

A raccontare i rischi futuri di un atteggiamento di questo genere è uno scrittore come Philip Dick. In *Minority Report* ipotizza l'esistenza di una Squadra Precrimine che sulla base delle premonizioni dei Precog, alcuni mutanti in grado di prevedere il futuro, arresta i colpevoli di un delitto prima ancora che questo venga commesso. I Precog, frutto di un errore genetico, vengono assunti a paradigma scientifico di riferimento: non sbagliano mai. Sono una rappresentazione fantascientifica delle scienze forensi e dell'esperto criminalista del futuro. A volte, però, uno dei Precog, il più sensibile, vede qualcosa di diverso, il cosiddetto *minority report*, «rapporto di minoranza», che viene messo a tacere per non incrinare la validità del sistema. Nel romanzo sarà il più accanito sostenitore dell'infallibilità del metodo, il capitano John Anderton, a rivelarne i limiti e a riappropriarsi delle indagini, dimostrando che le scienze forensi, anche quelle paradossali del futuro fantascientifico, devono sempre essere gestite e interpretate dall'uomo.

Mentre camminavano lungo i corridoi di uffici in piena attività e illuminati di luce gialla, Anderton disse: «Lei conosce la teoria del precrimine, naturalmente. Penso che possiamo darla per scontata».

«So quello che sanno tutti» replicò Witwer. «Con l'aiuto dei vostri mutanti Precog, voi avete coraggiosamente e con successo abolito il sistema punitivo postcrimine fatto di prigione e sanzioni pecuniarie. Com'è ovvio la punizione non è mai stata un deterrente, ed è sempre stata di ben poco giovamento a una vittima già morta.»

Erano arrivati all'ascensore. Mentre scendevano velocemente, Anderton disse: «Lei ha probabilmente afferrato qual è il fondamentale difetto della metodologia precrimine dal punto di vista legale. Noi arrestiamo degli individui che non hanno infranto alcuna legge».

«Ma che sicuramente la violeranno» affermò Witwer con convinzione.

«Per fortuna non lo faranno... perché noi li prenderemo prima che possano commettere un'azione violenta. Per cui la perpetrazione del crimine stesso è qualcosa di assolutamente metafisico. Noi diciamo che sono colpevoli. Loro, d'altro canto, proclamano in eterno la loro innocenza. E in un certo senso sono innocenti.»

Glossario della scena del crimine

Accelerante Composto chimico con particolari caratteristiche che lo rendono idoneo a innescare un incendio. Brucia producendo temperature elevate, propaga velocemente le fiamme ed è difficile da spegnere.

AFIS, Automatic Fingerprint Identification System Sistema automatico di identificazione delle impronte digitali. L'impronta viene acquisita attraverso uno scanner e confrontata con quelle già presenti nell'archivio computerizzato.

ALS, Alternate Light Source Sorgente di luce a differenti lunghezze d'onda, capace di rendere visibili tracce biologiche, fibre, residui di sparo. L'apparecchio più noto basato su questa tecnologia è il Crimescope.

Antropologia forense Applicazione dell'Antropologia fisica all'ambito giudiziario. Si occupa dell'identificazione di resti umani scheletrizzati, gravemente compromessi dalla putrefazione, o comunque non identificabili.

Asfissie meccaniche Comprendono casi di impiccamento, strangolamento, strozzamento, soffocazione esterna diretta e annegamento. L'impiccamento avviene quando un corpo è sospeso nel vuoto, con un laccio attorno al collo che si stringe per effetto del peso. Si ha un caso di strozzamento quando sono le mani a serrare il collo di una vittima, mentre lo strangolamento è dovuto alla costrizione mediante un laccio. Vi è soffocazione quando sulla bocca della vittima viene premuto un cuscino o anche semplicemente una mano.

AP, Autopsia psicologica Tecnica che permette di ricostruire il profilo psicologico di un soggetto al momento della sua morte, al fine di stabilire se si tratta di un caso di suicidio oppure no.

Balistica Scienza che si occupa del moto dei corpi lanciati nello spazio. In ambito forense studia le proprietà statiche e dinamiche del proiettile. Si divide in balistica interna, che si limita ai fenomeni che vanno dalla percussione all'uscita di un proiettile dalla canna di un'arma; esterna, che copre il tragitto fino al bersaglio; e finale, che analizza il comportamento del proiettile nel corpo della vittima.

Biometria Insieme delle tecniche che permettono l'identificazione di un soggetto attraverso sistemi automatizzati.

Bitemarks, **segni di morsicatura** La struttura dentale può presentare caratteristiche di specificità tali da permettere l'identificazione di un soggetto tramite i segni dei morsi che ha lasciato su una superficie idonea, comprese le parti di un corpo.

BPA, **Bloodstain Pattern Analysis** Interpretazione del disegno prodotto dalle macchie e dagli schizzi di sangue. Permette di ricostruire che cosa ha causato lo spargimento di sangue (tipo di arma), la posizione della vittima e dell'aggressore, la quantità di forza usata e il numero di colpi. Consente inoltre di stabilire se l'aggressore è mancino o destrimano, e ancora se può essere stato schizzato dal sangue durante il delitto.

Calibro In un'arma da fuoco rappresenta la misura del diametro interno, o anima, della canna. Con calibro si intende comunemente anche quello della cartuccia utilizzata in una certa arma, anche se i due valori non sono identici.

Case-linkage system, **sistema di correlazione tra eventi** Si tratta generalmente di un database di eventi criminali o di informazioni correlate ai casi. Consente agli investigatori di stabilire elementi comuni in delitti differenti, aumentando le possibilità di comprensione delle caratteristiche del reo e facilitarne l'individuazione.

CODIS, **Combined** DNA **Index System** Database criminalistico del DNA che permette l'archiviazione e il confronto dei profili genetici.

Criminal profiling Consiste nell'identificazione delle principali caratteristiche del comportamento e della personalità di un individuo, basate sull'analisi della scena del crimine e delle peculiarità del delitto commesso.

Criminalistica Professione, e insieme disciplina, che si occupa di riconoscere, identificare, individualizzare e valutare le prove fisiche attraverso l'applicazione delle Scienze naturali all'ambito forense.

Criminologia Scienza multidisciplinare e interdisciplinare, il cui campo di indagine sono i fatti criminosi, lo studio degli autori dei delitti e delle differenti forme di reazione sociale al crimine. Comprende inoltre gli studi sulla vittima e sulle forme di devianza anche nelle sue manifestazioni non delittuose.

DNA, **acido desossiribonucleico** Molecola di grandi dimensioni e complessità, formata dalla combinazione di unità più semplici, i nucleotidi, e strutturata in due filamenti avvolti a spirale l'uno intorno all'altro. È presente nei cromosomi di tutte le cellule come portatore dell'informazione genetica.

DNA **mitocondriale** Ereditabile solo dalla madre, il DNA mitocondriale può essere recuperato da materiali biologici che sono stati gravemente danneggiati così da distruggere il DNA nucleare. Il DNA mitocondriale si trova in milioni di copie in ogni cellula, mentre il DNA nucleare ha solo due copie per cellula.

Equivocal death, **morte equivoca** Si usa quest'espressione quando la morte si presta a interpretazioni diverse, quando non è chiaro se la vittima si è tolta la vita, oppure è stata uccisa, o ancora quando il decesso ha cause naturali seppure insolite.

Esplosivi Sostanze, composti o miscele capaci, se esposti al calore, agli urti, all'attrito o ad altri stimoli, di generare una reazione chimica pressoché istantanea, con un rapido sviluppo di calore e di gas e un fortissimo aumento di pressione.

Forensic Sciences, **Scienze forensi** Studio e impiego delle applicazioni della scienza per gli scopi previsti dalla legge.

GSR, **Gunshot Residue** Residui dello sparo, insieme di particelle proiettate nello spazio al momento dell'espulsione di un proiettile. Si tratta di nitrati e nitriti, residui della polvere di lancio, e poi piombo, bario e antimonio, residui dell'innesco.

Guanto di paraffina o Test di Gonzales Metodo di raccolta dei residui di sparo utilizzato nel passato.

IBIS, **Integrated Ballistic Imaging System** Sistema totalmente automatizzato in grado di archiviare, ricercare e confrontare tutte le informazioni tecniche e investigative sui bossoli e i proiettili raccolti sulla scena di un crimine, oppure ottenuti sperimentalmente con armi sequestrate.

ICTs, **Identity Related Technologies** Insieme delle tecnologie correlate al riconoscimento dell'identità di un soggetto.

Lesioni, tipo contusivo Si distinguono principalmente in ecchimosi, escoriazioni, lacerazioni e fratture. Le *ecchimosi* sono lesioni «chiuse» che si manifestano come una discolorazione (il colore varia a seconda dell'epoca di produzione della lesione e va dal blu per le più recenti, al verdastro, al marrone e infine al giallo per quelle più vecchie) dovuta alla rottura di vasi sanguigni sottocutanei che provocano un'infiltrazione dei tessuti. Le *escoriazioni* invece implicano una perdita di sostanza cutanea dovuta all'effetto «frizione» di una superficie ottusa contro il corpo. Le *lacerazioni* sono delle interruzioni dell'integrità della cute solitamente a margini irregolari, e sono spesso associate a contusioni e a escoriazioni. Quando la soluzione di continuità interessa il tessuto osseo prende il nome di *frattura*.

Luminol, 3-aminoftalidrazide Composto chemiluminescente, utilizzato nella rilevazione delle tracce di sangue, anche se in minima quantità.

Mass murderer, **omicida di massa** Soggetto che si rende responsabile dell'uccisione di quattro o più vittime nel medesimo luogo e nel corso di un unico evento.

Modi della morte Le modalità che possono portare alla morte si possono riassumere in quattro grandi categorie – *naturale, accidentale, omicidio* e *suicidio* –, oltre a una quinta, quella che raggruppa i casi non determinati o non classificabili.

Modus operandi Comportamento di un aggressore finalizzato a portare a compimento un reato (per esempio accedere a un appartamento dopo avere scardinato la porta di servizio). Il *modus operandi* è un comportamento appreso, costituisce in buona sostanza quanto il soggetto fa per mettere in atto il crimine, è dinamico, può modificarsi nei successivi delitti.

PCR, **Polymerase Chain Reaction** Tecnica che utilizza un enzima, la polimerasi, per amplificare specifiche regioni del DNA fino a un milione di volte, rendendo possibile l'analisi di una traccia biologica di piccolissime dimensioni.

PMI, **Post Mortem Interval** Tempo intercorso tra la morte e il rinvenimento del cadavere.

SASC, **Sistema per l'analisi della scena del crimine** A differenza dei sistemi utilizzati dall'FBI e dalla polizia canadese, cioè il VICAP e il VICLAS, che sono semplici database alfanumerici, il SASC, unico sistema del genere attualmente esistente e sviluppato dalla UACV (Unità per l'analisi del crimine violento) della polizia di Stato italiana, permette l'archiviazione di tutte le immagini che possono risultare utili per le varie attività di analisi investigativa.

Serial killer, **assassino seriale** L'autore di due o più omicidi, in luoghi differenti, separati da un intervallo di «raffreddamento» emozionale (*emotional cooling-off*) dell'assassino.

S*ignature*, **firma** Comportamento statico, ripetuto in ogni scena del crimine, non necessario all'esecuzione del medesimo e rispondente a dinamiche profonde della psiche dell'aggressore. Firma di un assassino possono essere ad esempio rituali, torture e mutilazioni inflitte, oppure l'utilizzazione di particolari tipi di costrizione fisica e armi.

Spree killer, **omicida compulsivo** L'autore di un unico omicidio, commesso in due o più luoghi e che comporta la morte di più persone, senza alcun periodo di raffreddamento emotivo tra le aggressioni.

Staging Deliberata alterazione della scena del crimine con lo scopo di depistare le indagini o, talvolta, di produrre uno shock in chi per primo giunge sul luogo.

Stub Speciale tampone dotato di una particolare sostanza adesiva che, pigiato sulla pelle o sui tessuti, asporta tutte le particelle presenti. Viene utilizzato nella ricerca dei residui di sparo.

Tanatologia Branca della medicina che studia i fenomeni trasformativi che accompagnano e seguono la morte. Si parla così di *frigor mortis*, il raffreddamento del cadavere rispetto alla temperatura ambientale, di *livor mortis*, vale a dire la comparsa di ipostasi o macchie ipostatiche, e di *rigor mortis*, cioè la «contrazione» postmortale dell'apparato muscolare.

Toolmarks Segni e tracce lasciati su una scena del crimine da strumenti, attrezzi e utensili, di solito nelle situazioni di scasso.

Undoing Modificazione della scena del crimine da parte dell'assassino che sente rimorso per quello che ha fatto e simbolicamente cerca di porvi rimedio.

VICAP, **Violent Criminal Apprehension Program** Programma per la cattura dei criminali violenti, è un sistema studiato dall'FBI per raccogliere, collegare e analizzare dati sui crimini violenti. I casi esaminati dal VICAP riguardano:

- omicidi e tentati omicidi, risolti e irrisolti, specialmente quelli successivi a rapimento: essi sono apparentemente casuali, senza movente, a sfondo sessuale o seriali;
- persone scomparse;
- cadaveri non identificati dove si sospetta una morte per omicidio;
- aggressioni sessuali.

VICLAS, **Violent Crime Linkage Analysis System** Sistema computerizzato sviluppato dalla polizia canadese nei primi anni Novanta del secolo scorso, simile al VICAP e adottato anche in molti
paesi europei.

Vittima Soggetto che diviene l'obiettivo dell'attacco dell'*aggressore*,
nel momento in cui quest'ultimo valuta favorevoli le circostanze
per commettere un crimine (assenza di testimoni, periodo della
giornata, vulnerabilità della vittima, e così via). Le condizioni
mentali dell'*offender* possono influenzare la sua percezione del
rischio insito nell'atto. Alcool, droghe, situazioni di stress, im-
pulsività sono tra i fattori che possono indurlo ad assumersi rischi maggiori.

Vittimologia Una completa ricostruzione della storia della vittima, che include lo stile di vita, i tratti della personalità, l'occupazione e altro ancora.

Bibliografia

AAVV, *La polizia scientifica, 1903–2003*, Laurus Robuffo, Roma 2004.

Allard, J.E., Wiggins, K.G., *The evidential value of fabric car seats and car seat covers*, in «J. Forensic Sci. Soc.», 27(2), 1987, pp. 93-101.

Ashbaugh, D.R., *Quantitative-Qualitative Friction Ridge Analysis: An Introduction to Basic and Advanced Ridgeology*, CRC Press, Boca Raton, Florida 2000.

Baden, M., *Unnatural Death: Confessions of a Medical Examiner*, Ivy, New York 1989.

Baden, M., Roach, M., *Dead Reckoning: The New Science of Catching Serial Killers*, Simon & Schuster, New York 2001.

Bass, B., Jefferson, J., *Death's Acre: Inside the Legendary Forensic Lab, the Body Farm, where the Dead Do Tell Tales*, G.P. Putnam's Sons, New York 2003.

Beavan, C., *Fingerprints. The Origins of Crime Detection and the Murder Case that Launched Forensic Science*, Hyperion, New York 2001.

Bennett, W., Hess, K., *Criminal Investigation*, Wadsworth, Sydney 2000.

Bevel, T., Gardner, R.M., Bevel, V.T., *Bloodstain Pattern Analysis: with an Introduction to Crime Scene Reconstruction*, CRC Press, Boca Raton, Florida 1997.

Bodziak, W.J., *Footwear Impression Evidence*, Elsevier, New York 1999.

Bowers, C.M., Johansen, R., *Forensic Dentistry: An Overview of Bite Marks* in «Human and Animal Bitemark Management», Forensic Mailing Services 2000.

Cattaneo, C., Grandi, M.A., *Antropologia e Odontologia Forense*, Monduzzi, Bologna 2004.

Cattaneo, C., *Morti senza nome*, Mondadori, Milano 2005.

Chisum, W.J., *Crime Scene Reconstruction*, California Department of Justice Firearm/Toolmark Training Syllabus, ripubblicato in «AFTE Journal», 23(2), 1991.

Cole, S., *Witnessing identification: latent fingerprinting evidence and expert knowledge*, in «Soc. Stud. of Sci.», 28(5-6), 1998, p. 687.

–, *What counts for identity? The historical origins of the methodology of latent fingerprint identification*, in «Sci. in Context», 12(1), 1999, p. 139.

Convicted by justice, exonerated by science, The National Institute of Justice Report, 1999.

Cordiner, S.J., Stringer, P., Wilson, P.D., *Fiber diameter and the transfer of wool fiber*, in «J. Forensic Sci. Soc.», 25(6), 1985, pp. 425-426.

Curran, J.M., Triggs, C.M., Buckleton, J.S., *Sampling in forensic comparison problems*, in «Sci. Justice» 38(2), 1998, 101-107.

Deadman, H.A., *Fiber evidence and the wayne williams trial*, in «FBI Law Enforcement Bulletin», 53(5), 1984, pp. 10-19.

Dix, J., *Handbook for Death Scene Investigators*, CRC Press, Boca Raton, Florida, 1999.

Douglas, J.E., Munn, C., *Violent crime scene analysis: modus operandi, signature and staging*, in «FBI Law Enforcement Bulletin», 62, 1992.

Eckert, W.G., James S.H., *Interpretation of Bloodstain Evidence at Crime Scenes*, CRC Press, Boca Raton, Florida 1989.

Edwards, M., *Catching Killers*, John Blake Publishing, London 2003.

Evans, C., *The Casebook of Forensic Detection*, John Wiley & Sons, New York 1998.

Evett, I.W., Weir, B.S., *Interpreting DNA Evidence*, Sinauer Associates, Inc., Sunderland, MA, 1998.

Fisher, B., *Techniques of Crime Scene Investigation*, CRC Press, Boca Raton, Florida, 2000[6].

Galton, F., *Finger Prints*, Macmillan, London 1892.

Garofano, L., *Delitti imperfetti, sei casi per il Ris di Parma*, Marco Tropea, Milano 2004.

–, *Delitti imperfetti, atto secondo*, Marco Tropea, Milano 2005.

Geberth, V.J., *Practical Homicide Investigation*, CRC Press, Boca Raton, Florida, 1996[3].

Genge, N.E., *The Forensic Casebook*, Ballantine Books, New York 2002.

Giusti, G., *Dizionario di Medicina legale e scienze affini*, CEDAM, Padova 2004.

Gross, A.M., Harris K.A., Kaldun, G.L., *The effect of luminol on pre-*

sumptive tests and DNA *analysis using the polymerase chain reaction*, in «J. Forensic Sci.Soc.», 44(4), 1999, p. 837.

Gross, H., *Criminal Investigation* (1891), Sweet & M., 962.

Headley, B., *The Atlanta Youth Murders and the Politics* DNA *of Race*, Southern Illinois University Press, 1998.

Homewood, S.L., Oleksow, D.L., Leaver, W.L., *Questioned document evidence*, in «Forensic Evidence», California District Attorneys Association, 1999.

Innes, B., *Bodies of Evidence*, Reader's Digest Press, Pleasantville, NY, 2000.

Intini A., Casto A.R., Scali, D.A., *Investigazione di Polizia Giudiziaria*, Laurus Robuffo, Roma 2003.

James, S.H, Nordby, J.J., *Forensic Science. An Introduction to Scientific and Investigative Techniques*, CRC Press, Boca Raton, Florida 2003.

Jeffreys, A.J., Wilson, V., Thein, S.L., *Individual-specific «fingerprint» of human* DNA, in «Nature», 316(4), 1985, p. 76.

Kersta, L.G., *Voiceprint identification*, in «Nature Magazine», 1962.

Kidd, C.B.M., Robertson, J., *The transfer of textile fibers during simulated contacts*, in «J. Forensic Sci. Soc.», 22(3), 1982, pp. 301-308.

Kingston, C.R., Kirk, P.L., *Historical development and evaluation of the «12 point rule» in fingerprint identification*, in «Int. Criminal Police Rev.», 186, 1965, pp. 62-69.

Kirk, P.L., *The ontogeny of criminalistics*, in «J. Criminal Law, Criminol., Police Sci.», 54, 1963, pp. 235-238.

– *Crime Investigation*, Thornton, J., a cura di Krieger Publishing Co., Malabar, FL, 1974[2] .

Koehler, A., *Techniques used in tracing of the Lindbergh kidnapping ladder*, in «Police Science», 27(5), 1937.

Krafft Ebing, R., *Psychopathia Sexualis*, a cura di E. de Baccard e R. Jotti, Homerus, Roma 1971.

Lee, H.C., Harris, H.A., *Physical Evidence in Forensic Science*, Lawyers & Judges Publishing Company, Tucson, AZ, 2000.

Lee, H.C., Palmbach T., Miller, M. Henry, *Lee's Crime Scene Handbook*, Academic Press, San Diego, CA, 2001.

Levinson, J., Granot, H., *Transportation Disaster Response*, Academic Press, San Diego, CA, 2002.

Locard, E., *L'Enquete Criminelle et les Methodes Scientifiques*, Ernest Flammarion, Paris 1920.

–, *Dust and its analysis*, in «Police J.» 1, 1928, p. 177.

–, *Traité de Criminalistique*, J. Desvigne, Lyon, 1931-1940.

Lombardi, G., *The contribution of forensic geology and other trace evi-*

dence analysis to the investigation of the killing of italian prime minister Aldo Moro, in «J. Forensic Sci. Soc.», 44(3), 1999, pp. 634-642.

Lucarelli, C., Picozzi, M., *Serial Killer. Storie di ossessione omicida*, Mondadori, Milano 2003.

–, *Scena del crimine*, Mondadori, Milano 2005.

MacDonell, H.L., *Bloodstain Patterns. Laboratory of Forensic Science*, Corning, New York 1993.

May, L.S., *The identification of knives, tools and instruments, a positive science*, in «Am. Police J.», 1, 1930, p. 246.

Mena, J., *Investigative Data Mining for Security and Criminal Detection*, Butterworth Heinemann, Burlington, MA, 2003.

Miller, H., *Proclaimed in Blood: True Crimes Solved by Forensic Science*, Headline, London 1995.

Newton, M., *The Encyclopedia of High Tech Crime and Crime Fighting*, Checkmark Books, New York 2004.

Nichols, R.G., *Firearm and toolmark identification criteria: a review of the literature*, in «J. Forensic Sci. Soc.», 42(3), 1997, pp. 466-474.

Nickell, J., Fischer, J., *Crime Science: Methods of Forensic Detection*, The University Press of Kentucky, Lexington, KY, 1999.

Noguchi, T., *Il coroner indaga*, Rizzoli, Milano 1985.

–, *La parola al coroner*, Rizzoli, Milano 1986.

Nordby, Jon J., *Dead Reckoning: The Art of Forensic Detection*, CRC Press, Boca Raton, Florida 2000.

Owen D., *Hidden Evidence, 40 True Crimes and How Forensic Helped to Solve Them*, Firefly Books Ltd, 2000.

Picozzi, M., *Piccoli omicidi*, Monti, Saronno 2002.

Picozzi, M., Ingrascì, G., *Giovani e crimini violenti*, McGraw-Hill, Milano 2002.

Picozzi, M., Zappalà, A., *Criminal Profiling*, McGraw-Hill, Milano 2001.

Platt, R., *The Ultimate Guide to Forensic Science*, DK Publishing, London 2003.

Ragle, L., *Crime Scene*, Avon Books, New York 1995.

Ramsland, K., *The Forensic Science of CSI*, Berkley, New York 2001.

Randall, B., *Death Investigation: The Basics*, Galen Press, Tucson, AZ, 1997.

Ressler, R.K, Douglas, J.E., Burgess, A.W., Burgess A.G., *Crime Classification Manual*, Jossey Bass Publishers, San Francisco 1992.

Robertson B., Vignaux, G.A., *Interpreting Evidence*, John Wiley & Sons, Chichester, 1995.

Saferstein, R., *Criminalistics: An Introduction to Forensic Science*, Englewood Cliffs, Prentice Hall, NJ, 2000[7].

Shaw, K.P., Hsu, S.Y., *Horizontal distance and height determining falling pattern*, in «J. Forensic Sci.», 1998, 43(4), 1998, pp. 765-771.

Sperber H.D., *Chewing gum: an unusual clue in a recent homicide investigation*, in «J. Forensic Sci. Soc.» 23, 1978, p. 792.

Stoney, D.A., *Criminalistics in the New Millennium*, The CAC News, gen.-mar. 2000.

Sung Tz'u, *The Washing Away of Wrongs*, trad. di B. McKnight, The University of Michigan, 1981.

Svensson, A., Wendel, O., *Crime Detection*, Elsevier, New York 1985.

Swanson, C., Chamelin, N., Territo, L., *Criminal Investigation*, McGraw-Hill, Boston 2000.

Technical Working Group on DNA Analysis Methods, *Guidelines for a quality assurance program for DNA analysis*, in «Crime Lab. Dig.», 22 (2), 1995, pp. 21-43.

Thornton, J.I., *Ensembles of class characteristics in physical evidence examination*, in «J. Forensic Sci. Soc.», 31(2), 1986, pp. 501-503.

Thorwald, J.T., *Crime and Science*, Harcourt, Brace & World, Inc., New York 1966.

Wecht, C., *Mortal Evidence*, Prometheus Books, New York 2003.

Wolfang, M.E., *Patterns of Criminal Homicide*, University of Pennsylvania Press, Philadelphia 1958.

Wonder, A.Y., *Blood Dynamics*, Academic Press, San Diego, CA, 2001.

Ringraziamenti

Non saremmo mai arrivati a scrivere questo libro senza l'aiuto e i consigli di persone di cui abbiamo la fortuna d'essere amici.

A Roberto Santachiara innanzitutto, che ha creduto nella «strana coppia».

E poi, non certo meno importanti, a Emilio Scossa Baggi e ai ragazzi della scientifica svizzera, a Carlo Bui e alla sua squadra della UACV, a Cristina Cattaneo, a Jessica Ochs e a Vittorio Rizzi.

Grazie a voi tutti, per avere sempre risposto alle nostre domande.

Per aver sempre trovato un momento per noi.

Indice analitico

CARLO LUCARELLI
MASSIMO PICOZZI

in Oscar Bestsellers

SERIAL KILLER
Storie di ossessione omicida

Un grande scrittore di *noir* e un celebre criminologo uniscono le loro competenze per tracciare il ritratto dei più efferati serial killer, veri mostri del nostro tempo. Costantemente in bilico tra normalità e follia, un viaggio terrificante nella vita e nella mente di uomini e donne che non sono semplici criminali. Sono il lato oscuro dell'animo umano.

CARLO LUCARELLI
MASSIMO PICOZZI

in Oscar Bestsellers

SCENA DEL CRIMINE
Storie di delitti efferati e di investigazioni scientifiche

Carlo Lucarelli e Massimo Picozzi ci raccontano i più celebri casi di cronaca nera che hanno insanguinato questi ultimi anni e ci descrivono il modo in cui inquirenti e scienziati ne sono venuti a capo ricorrendo alle più moderne tecniche investigative. Perché in tutti i delitti o gli attentati c'è sempre una traccia che lega la vittima all'assassino. Ed è proprio lì, sulla scena del crimine.

«Tracce criminali»
di Carlo Lucarelli e Massimo Picozzi
Oscar bestsellers
Arnoldo Mondadori Editore

Questo volume è stato stampato
presso Mondadori Printing S.p.A.
Stabilimento NSM - Cles (TN)
Stampato in Italia - Printed in Italy